DE MONDIALISERING EN HAAR TEGENSTANDERS

Daniel Cohen

De mondialisering en haar tegenstanders

*Vertaald uit het Frans door Anneke van der Straaten
en Harrie Nelissen*

METS & SCHILT, AMSTERDAM

ISBN 90 5330 432 0
NUR 685

© 2004 Éditions Grasset & Fasquelle, Parijs
© 2005 Nederlandse vertaling Mets & Schilt uitgevers, Amsterdam,
en Anneke van der Straaten, Luzy en Harrie Nelissen, St. Bonnet-le-Chastel

OORSPRONKELIJKE TITEL
La mondialisation et ses ennemis

OORSPRONKELIJKE UITGEVER
Bernard Grasset, Parijs

KOPIJREDACTIE
Sjoerd de Jong, Amsterdam

BOEKVERZORGING
MMS Grafisch Werk

OMSLAGFOTO
David Trood/HH

DRUK
Haasbeek, Alphen aan den Rijn

www.metsenschilt.com

Ter nagedachtenis aan mijn vader

INHOUD

DANKWOORD

Ik dank Michel Cohen, Olivier Mongin, Pierre Rosanvallon en Perrine Simon-Nahum voor hun waardevolle hulp bij de totstandkoming van het manuscript en de studenten van de ENS die aan de seminars 'Van de ene mondialisering naar de volgende' en 'De postindustriële economie' hebben deelgenomen, voor hun stimulerende bijdragen.

INLEIDING

Waarom zijn arme landen zo arm en rijke landen zo rijk? De gebruikelijke verklaring geeft op beide vragen hetzelfde antwoord:
de uitbuiting van de armen door de rijken. In de loop van de geschiedenis zouden de arme landen de plaats hebben ingenomen
van die van de slaven in de Oudheid of van de arbeidersklasse in
de geïndustrialiseerde landen. Al kan veel van deze benadering
overeind blijven, toch ligt het meer voor de hand toe te geven dat
de ingeving waarop deze vergelijking is gebaseerd, voor het grootste deel in de kern volkomen fout is. De arme landen lijden niet
aan uitbuiting. Op het gevaar af paradoxaal te lijken, zou er toch
beter gesteld kunnen worden dat ze meer lijden aan het feit dat
ze níet worden uitgebuit, dat ze worden vergeten, aan hun lot worden overgelaten. De armste landen zijn niet als arbeiders in het
industriële kapitalisme; ze bevinden zich in een situatie die veel
meer lijkt op die van mensen met een minimumuitkering van
nu, de uitgestotenen. 'Het Westen heeft de derde wereld niet nodig,' concludeerde Paul Bairoch al, waar hij nog aan toevoegde:
'en dat is slecht nieuws voor de derde wereld.'[1] Beweren dat het
Westen nauwelijks of in het geheel niet afhankelijk is van Afrika,
komt echter niet op hetzelfde neer als het Westen te vrijwaren
van de ellende van de derde wereld. Integendeel. De relatie tussen hen is echter niet die van uitbuiter en uitgebuite.

Laten we om de aard van deze complexe relatie te kunnen begrijpen de redenering volgen van Germaine Tillion in *L'Algérie
en 1957*,[2] waarin ze haar verbazing uitspreekt wanneer ze twintig

jaar later terugkomt in een dorp in het Algerijnse Aurèsgebergte dat ze tussen 1936 en 1940 had bezocht. Ik volg hier het verhelderende commentaar dat Bernard Chantebout hierop geeft in zijn boek *Le Tiers Monde*.[3] De samenleving in de Aurès zoals Tillion die heeft gekend, 'harmonisch en gelukkig in een voorouderlijke rust', is in nog geen twintig jaar verloederd. Waaraan ligt dat? 'Aan niets of bijna niets.' De Fransen dachten er goed aan te doen daar de Franse beschaving te brengen. Zo verstoven ze DDT boven de meren om malaria en tyfus te bestrijden en legden een weg aan om het isolement van de streek te doorbreken. Daarna zijn ze weer vertrokken.

Deze twee vernieuwingen hebben vervolgens een kettingreactie veroorzaakt. Het uitroeien van tyfus en malaria leidt allereerst tot een bevolkingsexplosie. In één generatie tijd is de bevolking verdubbeld. Om hiertegen opgewassen te zijn hebben de herders hun kuddes vergroot. Deze hebben echter in korte tijd de bodem vernield. Dankzij de weg die is aangelegd, heeft een aantal mensen overschotten kunnen exporteren. Sommigen zijn er rijk van geworden, anderen hebben schulden gemaakt en zich zo soms te gronde gericht. Er ontstond ongelijkheid; de rijkste mensen stuurden hun kinderen naar een school in de hoofdplaats. De islamitische traditie bleek snel in waarde te zijn gedaald. Zo is de traditionele samenleving, als een bevolking die door een epidemie wordt uitgeroeid, 'gedesintegreerd door dit oppervlakkige contact, waarbij slechts werd geroken aan de westerse beschaving'.

Toch was er hier geen sprake van uitbuiting: 'De Fransen zijn weer naar huis gegaan.' In dit zo kenmerkende voorbeeld werpt de mondialisering vragen op die buiten de eenvoudige indeling in goed en kwaad vallen. Als er een verbindingsweg wordt aangelegd tussen een dorp en een stad en er zo een eind komt aan het isolement dat voor een deel verantwoordelijk is voor de armoe-

de in de Aurès, betekent dit dan niet dat er absoluut geen weg terug meer is en dit onherroepelijk leidt tot betwisting van voor-
ouderlijk gezag en tot grotere ongelijkheid? Moeten we er nu spijt
van krijgen dat het isolement niet is blijven bestaan? Ingewik-
kelder nog: door malaria te genezen hebben de Fransen een bevolkingsexplosie veroorzaakt. Moeten we kinderen laten sterven
uit angst om het demografisch evenwicht van het 'traditionele'
bestaan te verstoren? Brengt het terugdringen van de kindersterfte, dat als zodanig een van de weldaden van onze moderne samenleving lijkt, niet ook het volledige model van onze industriële
samenleving met zich mee? Past dit onherroepelijk in een uniek
model dat in het Westen wordt gezien als 'demografische overgang', waarbij de afname van de kindersterfte een verminderde
vruchtbaarheid met zich meebrengt, die op haar beurt weer onherroepelijk leidt tot scholing van de kinderen, emancipatie van
de vrouwen in de patriarchale orde en uiteindelijk tot hun deelname aan het 'moderne leven'? Dit zijn complexe kwesties waarop onmogelijk met ja of nee kan worden geantwoord, kwesties die
al eeuwen aan de orde worden gesteld...

De huidige mondialisering is niet meer dan het derde bedrijf
van een geschiedenis die ongeveer vijfhonderd jaar geleden is begonnen. Het eerste bedrijf begon met de ontdekking van Amerika in de 16de eeuw, het tijdperk van de Spaanse conquistadores.
Het tweede speelt in de 19de eeuw, het tijdperk van het Engelse
koopmanschap. De eerste mondialisering begint met een scène
die lijkt op de door Tillion beschreven tragedie van de Aurès. Nu
hadden de Spaanse conquistadores beslist geen medicijnen meegebracht, maar in tegendel: pokken, mazelen, griep en tyfus. Het
model blijft echter gelijk. De ene beschaving vernietigt de andere,
niet omdat deze 'een voorsprong' heeft op de andere, maar omdat zij immuun is voor haar eigen virussen, voor de perverse ef-

fecten die haar eigen systeem veroorzaakt. Tegenwoordig kwijnt, net als destijds, een groot aantal arme landen langzaam weg omdat ze geen bescherming hebben tegen de perverse effecten van onze industriële samenleving, van de verstedelijking en de levensstijl die deze met zich meebrengt.

De overeenkomsten tussen vroeger en nu zijn nog opvallender als het over de mondialisering in de 19de eeuw gaat. Groot-Brittannië, een groot rijk dat voorstander is van de vrijhandel, overheerst de wereld dankzij een revolutie op het gebied van de communicatiemiddelen: de telegraaf, de spoorweg en de stoomboot. Als er één les is die we uit de 19de eeuw kunnen trekken, is het wel dat vermindering van de transport- en communicatiekosten beslist onvoldoende is voor verspreiding van de welvaart. India is in 1913 net zo arm als in 1820, ondanks al die tijd deel te hebben uitgemaakt van het Gemenebest. De paradox die economen te laat hebben ingezien, is dat verlaging van transportkosten geen rijkdom verspreidt maar veeleer polarisatie in de hand werkt. Met de komst van de spoorwegen verdwijnen dorpen en gehuchten omdat ze niet opgewassen zijn tegen de concurrentie van de grote steden. Als een spoorweg twee steden met elkaar verbindt, wordt de grootste van de twee welvarend terwijl de kleinste in veel gevallen verdwijnt. Dat is precies het proces dat de Fransen in gang hebben gezet toen ze de weg aanlegden met de bedoeling het isolement van het Algerijnse dorp op te heffen. Op dezelfde manier bevoordeelt de nieuwe informatie- en communicatie-economie de grote spelers heel wat meer dan dat zij kansen biedt aan nieuwe deelnemers. Verre van het scheppen van een door economen gedroomde wereld van vrije toegang en transparantie, werpt de zogeheten informatiemaatschappij haar eigen barrières op in de plaats van de hindernissen die de techniek uit de weg heeft geruimd.

De tegenstanders van de mondialisering komen uit twee kampen die in alles elkaars tegenpool zijn, maar beide voeden zich met dezelfde getuigenis van de geschiedenis. Eenvoudig gesteld gaat het om het kamp van de mollahs die wat zij 'de verwesterlijking van de wereld' noemen, aan de kaak stellen, en om dat van de tegenstanders van het kapitalisme die vechten tegen de uitbuiting van de volkeren door het grootkapitaal. Het eerste roept op tot oorlog tussen de beschavingen, het tweede tot wereldwijde klassenstrijd. Ondanks hun verschillen vinden beide kampen elkaar in de gedachte dat 'de mondialisering een model oplegt dat de volkeren niet willen'. Waarschijnlijk is echter het tegengestelde waar. De mondialisering laat de volkeren een wereld zien die hun verwachtingen sterk verandert, en het tragische is dat ze ook nog eens helemaal niet in staat blijkt te zijn aan deze verwachtingen te voldoen. Als wij geraakt worden bij het zien van televisiebeelden van broodmagere kinderen, sluiten wij onze ogen voor het feit dat dezelfde kinderen, of in ieder geval hun ouders, ook ons zien op de televisie, dat hun blik gericht is op onze materiële welvaart. Nu de blik van de arme landen de onze kruist, worden er meer wegen en medicijnen gevraagd en echt niet minder. Als we de huidige mondialisering trachten te begrijpen door de vertrouwde bril van religie of uitbuiting, gaan we voorbij aan de paradoxale uniciteit ervan.

De huidige mondialisering onderscheidt zich immers grondig van de vorige op één belangrijk punt. Het is moeilijk speler te worden en gemakkelijk toeschouwer te blijven. Films bijvoorbeeld worden steeds duurder om te produceren en voor medicijnen zijn steeds kostbaarder onderzoeken nodig. De eerste kunnen echter zowel in de voorsteden van Cairo als in Los Angeles worden gedraaid; met de tweede worden zowel arme als rijke lichamen behandeld. De nieuwe wereldeconomie veroorzaakt een nooit eerder vertoonde breuk tussen de verwachting die zij schept en de realiteit die er het gevolg van is. In het verleden hadden communicatiemiddelen, de media, nooit zo'n wereldwijde bewustwording gecreëerd; maar de economische krachten liepen daar ook nooit zo op achter. Voor het merendeel van de armen van onze planeet blijft de mondialisering een beeld, een ongrijpbare luchtspiegeling. Al te vaak weet men echter niet hoe sterk en pregnant dit beeld is.

Niets illustreert deze eigenaardige nabijheid van rijken en armen beter dan de demografische overgang. Het dorp in de Aurès valt uiteen omdat het overbevolkt is geraakt door de demografische druk die het gevolg is van de daling van de kindersterfte. Toch is de demografische overgang op onverwachte wijze nu in veruit de meeste arme landen op gang gekomen. Het belangrijkste verschijnsel uit de geschiedenis van de mensheid is merkwaardig genoeg het meest miskende, in ieder geval door de deskundigen. Overal in de wereld, ongeacht hun geloof, stellen Egyptische, Indonesische, Chinese, Indiase, Braziliaanse en Mexicaanse vrouwen het traditionele model ter discussie en verwerpen zij voorouderlijke gewoontepatronen. Het aantal kinderen daalt met duizelingwekkende snelheid: volgens de Verenigde Naties met ongeveer één kind per vrouw per decennium.

Deze daling van het vruchtbaarheidscijfer wordt slechts in geringe mate veroorzaakt door economische factoren. Zowel in steden als op het platteland treedt dit verschijnsel op, bij wel en niet werkende vrouwen. Het heeft echter alles te maken met de verbreiding van een cultuurmodel. Jonge Chinese vrouwen imiteren de Japanse vrouwen, die op hun beurt de vrijheid van jonge Amerikaanse vrouwen benijden van wie zij de gedragspatronen overnemen. De verbreiding van dit model betekent niet dat vrouwen in de derde wereld cultureel gezien afgestompt raken door de westerse media. Het is juister hierin instemming te zien met een model dat vrouwen uit de hele wereld hebben overgenomen omdat ze er een vrijheidsgedachte in zien. Het enthousiasme onder de Iraanse vrouwen bij de toekenning van de Nobelprijs voor de vrede aan Shirin Ebadi in 2003 spreekt wat dit betreft boekdelen. De hermetisch geachte grenzen tussen de beschavingen blijken in feite buitengewoon poreus te zijn.

Om de huidige mondialisering te begrijpen, moet het idee worden losgelaten dat de armen dom worden gehouden of uitgebuit door de mondialisering. Als India – dat medeoprichter was – en China toetreden tot de Wereldhandelsorganisatie (WHO), doen ze dat niet uit naïviteit of uit vrees voor de grote industriele machten; hun vastberaden houding tegenover de rijke landen tijdens de top in Cancún van september 2003 heeft dit bewezen. Ze maken zich geen enkele illusie dat het wereldkapitalisme er spontaan toe zou neigen de rijkdom te verspreiden. Maar als de geschiedenis van de 19de eeuw hun heeft geleerd dat handel op zich geen factor voor groei hoeft te zijn, dan heeft de 20ste eeuw getoond dat protectionisme een nog slechtere oplossing is. Tegenwoordig zoekt iedereen een nieuwe weg, geplaveid met buitenlandse leningen en binnenlandse ontwikkeling. Ze nodigen zichzelf opnieuw uit aan de tafel van de internationale handel om een voet te kunnen zetten tussen de deur naar materiële welvaart.

Alle landen zijn tegenwoordig op hun eigen manier bezig het gat te dichten dat bestaat tussen verwachtingen en realiteit in de wereld. Dit mag natuurlijk niemand beletten de mondialisering kritisch te benaderen of zich ongerust te maken over de bedreigingen die zij inhoudt voor ecologisch en cultureel evenwicht op de planeet. Maar wat beslist niet moet worden gedaan, is dat wat nog verwachting is als een voldongen feit beschouwen. Frustra-

ties groeien omdat de mondialisering nog niet tot stand is gebracht en niet omdat ze al bestaat. Wie zich op dit punt vergist,
baseert zijn kritiek op een geweldig misverstand.

HOOFDSTUK I

Het ontstaan van de Noord-Zuidas

DE VEROVERING VAN DE WERELD

Plaats van handeling is de stad Caxamarca op de Peruaanse hoog-
vlakte in het jaar 1532. Francisco Pizarro voert 168 mannen aan tegen de Inkakeizer Atahualpa. Deze absolute monarch van het
grootste en hoogst ontwikkelde rijk van de Nieuwe Wereld staat
zelf aan het hoofd van een leger van 80000 soldaten. Pizarro neemt
Atahualpa gevangen, eist losgeld, krijgt dit ook, en doodt hem. Er
brandt een strijd los tussen Pizarro en de troepen van de overleden
keizer. Volledig tegen de getalsverhoudingen in en op vreemd terrein wint Spanje. Hoe was dat nu mogelijk? In een van de meest
verrassende boeken die recentelijk zijn verschenen, *Guns, Germs
and Steel*,[4] heeft Jared Diamond de weg bereid voor een theorie die
de basis zou kunnen leggen voor een 'ecologisch materialisme',
waarmee het ontstaan dan wel het voortduren van de ongelijkheid
tussen de naties kan worden verklaard.

Tableau de la troupe: Pizarro en zijn mannen beschikken over
degens en wapenrustingen van staal, over geweren en paarden,
terwijl de troepen van Atahualpa slechts uitgerust zijn met stenen,
bronzen of houten wapens, knotsen, bijlen en katapulten; ze hebben geen ijzeren wapens.

Een tweede element van de verklaring: het Spanje van Pizarro
was in tegenstelling tot de tegenstander het lezen en schrijven
meester. Atahualpa was slecht geïnformeerd over de Spanjaarden.
Wanneer Pizarro aan wal gaat aan de Peruaanse kust, weten de Inka's niet dat Panama, dat zich 960 kilometer noordelijker bevindt,
al zeventien jaar eerder is veroverd. Ook al is Pizarro zelf analfa-

beet heeft hij toch gebruik kunnen maken van de informatie op grond waarvan Hernán Cortés de Azteekse vorst Montecuzoma heeft verslagen. Net als de Azteken kende het Inkarijk ook een volledig gecentraliseerde politieke organisatie. Door Atahualpa gevangen te nemen en te doden, zorgde Pizarro ervoor dat de gezagsketen van de Inka's werd doorbroken.

Een laatste punt is dat de Inka's geen dieren hebben die ze kunnen inzetten in de strijd tegen de paarden van Pizarro. Dat is een direct nadeel, waarachter echter een oneindig veel belangrijker zwakte schuilgaat, te weten de afwezigheid van resistentie tegen besmettelijke ziekten. De ziekten die de meeste menselijke slachtoffers hebben gemaakt, pokken, griep, tuberculose, malaria, pest, mazelen en cholera, zijn allemaal infectieziekten die zijn voortgekomen uit dierenziekten, zelfs al zijn ze paradoxaal genoeg tegenwoordig niet meer gevaarlijk voor de dieren zelf. In de loop van de geschiedenis hebben dragers van het resistente gen altijd de beste overlevingskansen gehad. Alles welbeschouwd zijn de volkeren die herhaaldelijk zijn blootgesteld aan een pathogeen gen, er uiteindelijk door gered. Aan de vooravond van de strijd tegen Pizarro werden de Inka's gedecimeerd door een pokkenepidemie. Alleen al pokken, mazelen, griep en tyfus hebben gezorgd voor de ondergang van 95 % van de precolumbiaanse inheemse bevolking.

De vraag van Yali

Als in de 16de eeuw de verovering der zeeën inzicht verschaft in de verschillende samenlevingen, blijken er grote tegenstellingen te bestaan op het gebied van technisch ontwikkelingsniveau. Eurazië, oftewel Europa en Azië, bestaat samen met Noord-Afrika uit rijken of staten die soms al beginnen te industrialiseren en allemaal bekend zijn met metalen. Op hetzelfde moment heersen de Azteken en de Inka's over hun rijken met uitsluitend stenen werktuigen. De zuidelijke helft van Afrika bestaat uit kleine staten of gebieden die onder gezag van een stamhoofd staan. De overige volkeren, of het nu om Australië gaat of Nieuw-Guinea, de talloze eilanden in de Stille Oceaan of bepaalde delen van Afrika ten zuiden van de Sahara, leven bijeen in agrarische stammen en soms ook in groepen jagers-verzamelaars die eveneens gebruik maken van stenen werktuigen.

'Waarom hebben jullie blanken al deze *cargo* bedacht en meegebracht naar Nieuw-Guinea, terwijl wij zwarten bijna niets hebben?' Een simpele vraag, die toch de essentie van het leven betreft. De vraag werd gesteld door een man genaamd Yali aan de Amerikaanse bioloog Jared Diamond, die de ontwikkeling van de vogelstand op Nieuw-Guinea was komen onderzoeken. Twee eeuwen eerder waren de blanken gekomen, hadden een regering opgelegd aan een in dorpen bijeen levend volk en goederen meegebracht die door de Papoea's op waarde werden geschat: metalen bijlen, lucifers, geneesmiddelen, alcoholvrije dranken en parasols. In Nieuw-Guinea werden deze waren *cargo* genoemd. De vraag van Yali bleef Jared Diamond achtervolgen. 'Ik had toen geen antwoord,' verklaart hij. 'Vakhistorici zijn het er nog steeds niet over eens. De meesten zijn zelfs gestopt zich dat af te vragen.'

Vijfentwintig jaar later tracht hij er een antwoord op te geven. Waarom zijn rijkdom en macht op deze wijze verbreid en niet anders? Waarom hebben bijvoorbeeld de Amerikaanse inboorlingen, zwarte Afrikanen of Australische aborigines de Europeanen en Aziaten niet gedecimeerd, onderworpen of uitgeroeid. Het antwoord op deze vragen beïnvloedt onze opvattingen over de wereld en de mondialisering, als we tenminste aannemen dat die in feite in het verlengde liggen van de 'stijfhoofdige'[5] geschiedenis van het menselijk avontuur.

Het racistische argument van de vermeende superioriteit van het blanke ras is door Diamond briljant onderuitgehaald. Bescheiden in de eerste persoon formulerend stelt hij: 'Mijn standpunt is de vrucht van drieëndertig jaar werk te midden van Nieuw-Guineeërs en van mijn onderdompeling in hun intacte samenlevingen. Al vanaf het moment dat ik bij hen kwam werken, was ik verbaasd te zien dat ze gemiddeld intelligenter, expressiever en geïnteresseerder waren in de dingen en mensen om zich heen dan de gemiddelde Europeaan of Amerikaan.' Diamond draagt hiervoor twee verklaringen aan. De eerste is neodarwinistisch van aard: om te overleven in de traditionele Nieuw-Guinese samenleving hebben de intelligentste mensen meer kans dan anderen om te ontsnappen aan doodsoorzaken als moord, stammenoorlogen of simpelweg de moeizame voedselvoorziening. De tweede verklaring is dat als de ontwikkeling van een kind afhangt van stimulatie en actief bezig zijn gedurende de prilste jeugd, de jeugd van een jonge inboorling beslist veel stimulerender is dan die van een westers kind. In een Amerikaans huisgezin staat de televisie gemiddeld zeven uur per dag aan. 'Passief vertier heeft daarentegen nauwelijks een plaats in het leven van de jonge inheemse Nieuw-Guineeërs. Zij slijten het grootste deel van hun dagen met actief bezig zijn, kletsen en spelen met andere kinderen of met volwassenen.' Zonodig kan hiervoor als bewijs worden aangevoerd dat telkens als aan technologisch primitieve volkeren – zoals de aborigines in Australië of de Papoea's – de mogelijkheid wordt geboden een industriële techniek toe te passen die nuttig voor hen kan zijn, zij hiervan snel en probleemloos gebruik weten te maken.

Een tweede antwoord op de vraag met betrekking tot ongelijke ontwikkeling, die vroeger algemeen werd geaccepteerd, zou gelegen zijn in het klimaat. Zou een lange winter die de mensen dwingt om langer tussen vier muren te verblijven hen tot denken aanzetten? Als je Pascal mag geloven wel. Deze verklaring is echter eenvoudig te ondergraven. De volkeren van Noord-Europa (waar het koud is) hebben tot aan het afgelopen millennium nauwelijks een bijdrage geleverd aan de beschaving. De vier fundamentele hefbomen voor economische ontwikkeling – de landbouw, het wiel, het schrift en de metaalbewerking – zijn stuk voor stuk in de warmste streken van Eurazië ontwikkeld of uitgevonden. We kunnen trouwens hetzelfde vaststellen als we kijken naar de Nieuwe Wereld. De enige Amerikaanse samenleving waar het schrift was ontdekt, was die van Mexico, ten zuiden van de noorderkeerkring, en de samenleving die algemeen wordt beschouwd als de hoogst ontwikkelde, zowel op het gebied van de kunst als de astronomie, is die van de oude Maya in tropisch Yucatán en Guatamala.

Hoe moeten we dus de ongelijkheid tussen beschavingen begrijpen? De stelling van Diamond is helder en overtuigend. De verschillen tussen de continenten hebben niets uit te staan met klimaten of genen, maar alles met een oneindig veel eenvoudigere factor: de aanwezigheid van dieren die gedomesticeerd en van planten die gecultiveerd kunnen worden. Bepaalde mensengemeenschappen leefden in gebieden waar landbouw mogelijk was, en andere niet.[*] Veruit de meeste wilde planten lenen zich namelijk niet voor teelt. Het belangrijkste deel van de biomassa bestaat uit bomen en bladeren die grotendeels onverteerbaar zijn.

---

[*] We beschikken over het formele bewijs van ontwikkeling van landbouw onafhankelijk van elkaar voor slechts vijf gebieden: de zogeheten Vruchtbare Maansikkel in het Midden-Oosten, China, Midden-Amerika, het Andesgebergte in Zuid-Amerika en het oosten van de Verenigde Staten. Vier andere, de Sahel, tropisch West-Afrika, Ethiopië en Nieuw-Guinea, zouden ook aan de wieg van de landbouw hebben kunnen staan.

In de moderne wereld vertegenwoordigt een tiental soorten meer dan 80% van de jaarlijkse gewasopbrengst. Dit zijn de graansoorten tarwe, maïs, rijst, gerst en sorghum, de peulvrucht soja, de wortels of knollen aardappel, maniok en zoete aardappel en de vrucht banaan.

De Vruchtbare Maansikkel van het Midden-Oosten, die aan het begin staat van de hele ontstaansketen van steden, het schrift en vervolgens de verschillende wereldrijken, is in de eerste plaats een gebied waar de graanopbrengst eenvoudigweg zeer groot is. In Nieuw-Guinea, aan het andere eind van de keten, bleef de voedselproductie beperkt door de afwezigheid van dieren en goed te telen graansoorten. Zoals de enthousiaste omarming van de zoete aardappel aantoont, zijn de inwoners van deze gebieden heel goed in staat nuttige toevoegingen aan hun voedselpakket te herkennen. Zo hadden de inheemse bewoners van Noord-Amerika ook geenszins potentieel nuttige gewassen onder de wilde soorten over het hoofd gezien, maar 'zelfs de plantengenetici van de 20ste eeuw zijn er, gewapend met alle mogelijkheden van de moderne wetenschap, nauwelijks in geslaagd de wilde planten uit Noord-Amerika te exploiteren'.

Een ander treffend voorbeeld van de gedachtegang van Diamond betreft de dieren. Van alle 'zware' zoogdieren (van meer dan 45 kilo) van de planeet zijn er maar veertien soorten vóór de 20ste eeuw gedomesticeerd, negen 'minder belangrijke' (dat wil zeggen met een beperkter verspreidingsgebied) en slechts vijf werkelijk universele soorten die geëxporteerd konden worden. De vijf soorten die over de hele wereld zijn verspreid, zijn koeien, schapen, geiten, varkens en paarden.* De geschiedenis van het paard, dat

---

* De eerste Afrikaanse herders kregen zo een enorme voorsprong op de jagersverzamelaars die ze weldra hadden verdrongen.

voor vroegere beschavingen is geweest wat de spoorweg voor de geïndustrialiseerde samenlevingen was, ondersteunt deze theorie. Het paard is zo'n zesduizend jaar geleden gedomesticeerd op de steppen ten noorden van de Zwarte Zee. Het is slechts in Eurazië aanwezig; de eerste Amerikanen bijvoorbeeld hebben er nooit een gezien. Toch had de inheemse bevolking in Noord- en Zuid-Amerika er slechts één generatie voor nodig om ook paarden te gaan houden, door zich meester te maken van de dieren die uit de nederzettingen van de Europeanen waren ontsnapt. Het paard is de belangrijkste factor geweest voor expansie, vanuit de Oekraïne, van de volkeren met Indo-Europese talen, die uiteindelijk de eerdere West-Europese talen hebben vervangen, met uitzondering van het Baskisch. Vanaf het moment dat paarden werden ingezet in de strijd, rond 1800 v.Chr., heeft dit de krijgskunst in het Midden-Oosten radicaal veranderd bestaat.[*] In West-Afrika transformeerde de komst van het paard het gebied in een geheel van koninkrijken die steunden op hun cavalerie. Verder is de verspreiding van het dier niet gegaan, omdat de door de tseetseevlieg verspreide ziekteverwekkende parasieten hem daarvan heeft weerhouden. De zebra's, die uiterlijk zo op paarden lijken, zijn absoluut ongeschikt voor domesticatie. Ze zijn van nature schichtig, geneigd te bijten, en worden als ze op leeftijd komen, uiterst boosaardig.

---

[*] In 1647 v.Chr. hebben paarden ervoor gezorgd dat een volkomen onbekend volk, de Hyksos, het Egyptische rijk, dat er op dat moment nog niet over beschikte, wist te bedwingen. Vijf eeuwen lang heeft dit volk Egypte zijn dynastieën op kunnen leggen voordat ze ruw werden afgezet. Weer later slaagden de Hunnen erin met behulp van hun zadels en sporen het Romeinse rijk en zijn opvolgers te terroriseren.

De meeste innovaties afkomstig uit de Vruchtbare Maansikkel hebben zich in het zuiden verspreid tot aan het koele Ethiopische gebergte. Hier is de opmars gestopt. Toch zou het welhaast mediterrane klimaat van Zuid-Afrika perfect geweest zijn voor de gewassen uit het Midden-Oosten. Om zich te verspreiden moesten ze echter een enorm obstakel overwinnen, te weten de Sahara. Ten zuiden van de Sahara blijven dus lokale planten gekweekt worden, zoals sorghum en de Afrikaanse yamswortel. De verbreiding naar het zuiden van gedomesticeerde dieren is om dezelfde reden vertraagd of gestopt. Zo zijn runderen, schapen en geiten ongeveer tweeduizend jaar lang niet verder gekomen dan de noordgrens van de Serengetisteppe.

Hetzelfde proces blijkt zich voor te doen bij de Noord-Zuidas van Amerika. De afstand tussen Midden-Amerika en Zuid-Amerika bedraagt niet meer dan 1900 kilometer, ongeveer even ver als Mesopotamië van de Balkan af ligt. Toch zijn daar in minder dan tweeduizend jaar alle in Mesopotamië gedomesticeerde soorten verschenen, waarvoor het klimaat er ideaal was. Op dezelfde wijze waren de hooggelegen, koele akkers van Mexico uitstekend geschikt voor het fokken van lama's en cavia's en het telen van aardappels, allemaal aanwezig in het frisse klimaat van de Andes in Zuid-Amerika. De opmars naar het noorden is echter gestuit op de warme vlaktes van Midden-Amerika. Vijfduizend jaar na de domesticatie van de lama in de Andes beschikten de inheemse samenlevingen van Mexico nog over geen enkel eetbaar zoogdier, met uitzondering van de hond.

Eurazië wordt gedomineerd door een Oost-Westas, terwijl Amerika en Afrika zich ontwikkelen langs een Noord-Zuidas. De Oost-Westas ontwikkelt zich echter op eenzelfde breedtegraad, wat inhoudt dat de gebieden dezelfde seizoensvariaties kennen.

Het verspreidingstempo van ontdekkingen op het gebied van de landbouw ligt hier dientengevolge veel hoger. Zuid-Italië, Iran en Japan mogen dan 6400 kilometer van elkaar verwijderd zijn, aangezien ze op dezelfde breedtegraad liggen heeft de landbouw er te maken met dezelfde klimatologische omstandigheden. Tweeduizend jaar geleden groeiden graansoorten afkomstig uit de Vruchtbare Maansikkel over een afstand van 16000 kilometer van Ierland tot aan Japan! Kort na de ontdekking rond 8000 v.Chr. breidde de landbouw zich rond 6500 v.Chr. uit tot aan Griekenland, Cyprus en het Indiaas subcontinent, rond 6000 v.Chr. tot Egypte, in 5200 v.Chr. tot Midden-Spanje en tegen 3500 v.Chr. tot Engeland. Deze verspreiding is gevolgd door andere innovaties uit de Vruchtbare Maansikkel, zoals het wiel, het schrift, de metaalbewerking, fruitbomen, bier en wijn.

Jared Diamond is de onvermijdelijke kritiek voor: zou de geschiedenis van de mensheid dan slechts een automatische ontwikkeling zijn gebaseerd op wat de natuur ons biedt? Zijn de mensen dan slechts passieve robots zonder hulpmiddelen, geprogrammeerd door klimaat, fauna en flora? Is de mondialisering alleen maar een onverwachte manifestatie van natuurverschijnselen? 'Deze angsten,' antwoordt hij, 'zijn uiteraard volkomen ongegrond. Zonder de menselijke inventiviteit zouden we nog steeds vlees snijden met stenen gereedschap en het dan rauw opeten... Feit is echter dat bepaalde milieus beter startmateriaal bieden dan andere.' Diamond merkt op dat talloze uitvindingen slechts éénmaal zijn gedaan. Dit gaat op voor 'het schoepenrad, de molensteen, de tandwieloverbrenging, het kompas, de windmolen en de donkere kamer'.

Van al die uitvindingen is veruit de meest geniale die van het alfabet, dat toch echt in de hele geschiedenis van de mensheid slechts éénmaal zijn entree blijkt te hebben gemaakt. We hebben het te danken aan sprekers van Semitische talen, die leefden in een gebied gelegen tussen het tegenwoordige Syrië en de Sinaï gedurende het tweede millennium vóór onze jaartelling. De honderden alfabetten die hebben bestaan of nu nog bestaan, zijn allemaal afgeleid van dit voorouderlijke Semitische alfabet. Door aan te tonen dat de grootste ontdekkingen zeldzaam of zelfs uniek zijn, suggereert Diamond dat het toeval bij intellectuele uitvindingen ook hier een op zijn minst even belangrijke rol speelt als bij ecologische veranderingen. Het alfabet was niet 'onmisbaar' voor landbouwsamenlevingen, niet meer dan het paard: uitsluitend het menselijk genie is hier in het geding, in al zijn onvoorspelbaarheid...

De tirannie van de anderen

Een eenvoudige lering die uit dit fascinerende werk kan worden getrokken, is dat de 'mondialisering' simpelweg altijd al deel uitmaakt van de geschiedenis van de mensheid. Of de diversiteit van de culturen nu voortkomt uit ecologisch toeval of uit het menselijk brein, vanaf het ontstaan ervan worden wederzijdse bijdragen en ontleningen tussen culturen onvermijdelijk. Alleen zeeën en woestijnen lijken langdurige obstakels te kunnen vormen voor deze hardnekkige opmars. In een artikel in het *Quarterly Journal of Economics* uit 1993, dat onder economen een zekere opschudding veroorzaakte, schreef Michael Kremer al dat ten tijde van de grote ontdekkingen in de 16de eeuw de grootste territoria paradoxaal genoeg dichter bevolkt waren dan de kleinste.[6] Zo telt Eurazië meer inwoners per vierkante kilometer dan Amerika, waar weer meer mensen wonen dan in Australië, meer in Australië dan in Tasmanië enzovoort. Gewapend met de theorieën die hierboven uiteen zijn gezet, begrijpen we nu beter waarom. Grote territoria beschikken over een ecologische verscheidenheid die de bewoners in staat stelt een autokatalytisch proces in gang te zetten: grotere bevolking, meer uitvindingen, grotere bevolking... Kremer trok hier een bemoedigende conclusie uit voor de 'mondialisering': hoe groter een gebied is – tegenwoordig zou men zeggen hoe groter een markt is –, des te groter is de kans dat dit autokatalytische effect optreedt dat door de economen als endogene groei wordt aangeduid.

Hierin kan echter geenszins een overwinning van het goede op het kwade worden gezien. De samenlevingen 'met een voorsprong' zijn niet 'gelukkiger' dan die welke door hen op achterstand worden gezet. Leven in China maakt niet gelukkiger dan leven op Tahiti. De demografische druk en de bevolkingsdichtheid liggen daar veel hoger. Op Tahiti komt op grote schaal kindermoord voor, de Chinezen daarentegen hebben de middelen gevonden om de talrijke inwoners te voeden. Dit bewijst geenszins de superioriteit van het tweede model boven het eerste, maar maakt de tweede beschaving wel ontegenzeglijk bedreigender dan de eerste. Het is meestal niet door overreding maar door vernietiging dat de agrarische samenlevingen de plaats innemen van de samenlevingen van jagers-verzamelaars waarop ze stuiten. Wanneer een ontdekking als het paard of het schrift bekend wordt, wordt deze ofwel overgenomen door de samenleving die ermee wordt geconfronteerd, ofwel wordt deze laatste spoedig vernietigd door samenlevingen die zich meester maken van de ontdekkingen.

Toch leert Diamond ons nog iets anders over de wijze waarop de 'rijkdom' wordt verbreid. De bevolkingsdichtheid in de samenlevingen 'met voorsprong' stelt hen in staat antistoffen te ontwikkelen tegen de virussen die zijzelf hebben gecreëerd, en die de andere uitroeien. Hoe complexer een samenleving, des te eerder worden minder ontwikkelde samenlevingen die haar pad kruisen vernietigd, doordat de leden van de complexe samenleving immuun zijn geworden voor de perverse gevolgen van het technologische systeem dat zijzelf heeft gecreëerd. De tragedie van het Aurèsgebergte is hierdoor te verklaren. De kolonisatoren denken goed te doen, maar in feite brengen ze antwoorden op vragen die nooit waren gesteld. Al doende scheppen ze ook de problemen waarvoor deze antwoorden waren bedoeld. Deze constatering neemt niet weg dat de komst van rijst of tarwe, het paard of het alfabet een revolutionaire draagwijdte kent. De Indianen in Amerika, die we ons niet anders kunnen voorstellen dan te paard, hebben dit dier slechts ontdekt dankzij Christophorus Columbus. Zij zijn niet ten onder gegaan aan de paardenbeschaving, maar veeleer aan de ziektes die het dier met zich meebracht.

Een eerste les zou dus als volgt kunnen luiden: alle menselijke samenlevingen zijn vanaf hun ontstaan onderworpen aan wat we de 'tirannie van de anderen' zouden kunnen noemen. In een ander verband toont Claude Lévi-Strauss aan dat de meeste mythen, van die over heimwee naar een vroeger paradijs tot die over het verlangen naar een zondeloze eindtijd, vaak een gemeenschappelijk model hebben. 'Twee mythen van twee uitersten van de wereld en de tijdsbalk, de Sumerische van een paradijselijke oorsprong en de Andamaanse over een toekomstig leven vertonen een sterke overeenkomst. Bij beide wordt het eeuwige geluk in een onbereikbaar verleden of toekomst geplaatst en zo onthouden aan de sociale mens in een wereld van mensen onder elkaar.[7] Juist die wereld van 'mensen onder elkaar' wordt de mens al van het begin af aan ontzegd.

De transpositie van deze vragen naar de vragen die 'onze' mondialisering oproepen lijkt vanzelfsprekend. Minder ontwikkelde samenlevingen dan de onze zijn nog niet immuun voor de perverse gevolgen van onze technologische wereld. Het kapitalisme hoeft daar op voorhand niet direct schuldig aan te zijn. Heet het in kapitalistische termen niet de eeuwig voortschrijdende geschiedenis van de mensheid? Een complexe en boeiende vraag, maar niet de eerste die bij ons opkomt. De centrale paradox van de mondialisering ligt immers niet in het feit dat de gevolgen ervan te snel of te abrupt worden verbreid. Veel opvallender op de – weliswaar nog korte – tijdschaal van het kapitalisme is het beperkte vermogen de technische vooruitgang waarvan het de drager is te verbreiden, dan de tegengestelde neiging deze vooruitgang aan iedereen op te leggen.

HOOFDSTUK II

Van de ene mondialisering naar de volgende

AMERICA, AMERICA

Niets lijkt gunstiger voor de verspreiding van kennis en techniek dan een wereld waarin afstanden zijn verdwenen en iedereen zonder belemmering kan communiceren met wie hij maar wil. De validiteit van dit idee, dat onze mondialisering lijkt te kenmerken, is door historici reeds gedeeltelijk weerlegd. De communicatie-revolutie, die vandaag aan de dag wordt gepresenteerd als de grote vernieuwing van de 21ste eeuw, heeft namelijk al eens plaatsgevonden in de 19de eeuw. Telegraaf, spoorweg en telefoon hebben in hun tijd de afstanden veel radicaler gewijzigd dan het internet nu.

Ten tijde van het Romeinse rijk reisde een bericht van Rome naar Alexandrië met een gemiddelde snelheid van één kilometer per uur. In de 18de eeuw duurde het nog vier dagen voor een brief uit Londen bij een geadresseerde op 300 kilometer afstand aankwam. Vanaf 1865 waren Londen en Bombay (Mumbai) met elkaar verbonden door middel van kabels over land en over de zeebodem. Een bericht deed er toen 24 uur over om van het ene naar het andere uiteinde van de kabel te worden gezonden. Aan het eind van de 19de eeuw kan er vanuit Londen worden gecommuniceerd met Bombay, Calcutta, Madras, Shanghai en Hongkong voor een prijs die niet veel hoger ligt dan die van een bericht van Londen naar Edinburgh. Het eerste bedrijf van de mondialisering vindt plaats ten tijde van de conquistadores en het tweede speelt zich af in de 19de eeuw, in de Engelse factorijen.

Een eerste transatlantische lijndienst wordt in gebruik genomen in 1838. Een fundamentele innovatie, de koelkast, maakt het vanaf 1871 mogelijk diepgevroren rundvlees te exporteren uit de Verenigde Staten of Argentinië naar Europa. Vanaf 1876 wordt ook Nieuw-Zeelandse boter geëxporteerd. Het Suezkanaal, dat op 17 november 1869 wordt geopend, brengt de afstand tussen Londen en Bombay met de helft terug. De integratie van de financiële en grondstoffenmarkten is haast volledig. Zo berekenden K. O'Roorke en J. Williamson bijvoorbeeld dat de graanprijs in Liverpool in 1870 nog 57% hoger was dan die in Chicago, terwijl het verschil in 1913 was teruggelopen tot 15%.[8] In 1870 was de katoenprijs in Liverpool 60% hoger dan in Bombay. Het verschil zakte tot minder dan 20% in 1913. Er zijn nog meer voorbeelden te geven: de prijs van rijst is in 1870 in Rangoon (Yangon) tweemaal zo hoog als in Londen, het verschil is nog slechts 20% in 1913. Voor de rentepercentages, de financiële mobiliteit, zijn de resultaten even spectaculair.

'Wat was de periode tot 1914 toch een bijzondere episode voor de vooruitgang van de mensheid! Een inwoner van Londen kan onder het genot van een kopje thee 's morgens per telefoon de meest uiteenlopende producten uit de hele wereld bestellen.'[9] Deze zin, die Keynes kort na de Eerste Wereldoorlog schreef, illustreert het enthousiasme voor een wereld vol nieuwe dimensies. Maar het is een Engelsman die het schrijft. In het Zuiden gaat het heel anders. In feite worden er in de 19de eeuw twee totaal uiteenlopende geschiedenissen geschreven, te weten die van de Londenaar die per telefoon bestellingen plaatst en die van de volkeren aan wie die bestellingen worden doorgegeven. Twee volledig verschillende mondialiseringsassen beginnen zich af te tekenen: een Noord-Noordas die voornamelijk berust op de mobiliteit van de mensen en die convergentie van inkomensposities in de hand werkt, en een Noord-Zuidas, bepaald door de goederenhandel, waarlangs de verschillen in levensstandaard juist worden vergroot.

De eerste as is ontstaan door de massale migratie naar de nieuwe vestigingsgebieden, waardoor landen als de Verenigde Staten, Canada, Argentinië en Australië zich ontwikkelen tot wat ze nu zijn. In zijn mooie film *America, America* (1963) vertelt Elia Kazan de lijdensweg van zijn oom op zijn reis van zijn Turkse dorp naar New York, waar hij zijn brood verdient als schoenpoetser en vervolgens zijn gezin kan laten overkomen.* Miljoenen mensen zijn per trein en per stoomboot de wereld over getrokken. De Chinezen zijn via Azië naar Californië gegaan. De Indiërs zijn naar Afrika en het Caribisch gebied gevaren. Vanuit Zweden, Ierland, het zuiden van Italië en Oost-Europa zijn emigranten massaal naar de Verenigde Staten getrokken. In totaal hebben tegen de 60 miljoen Europeanen hun overbevolkte werelddeel verruild voor de onbeperkte ruimte van de Nieuwe Wereld. Geen enkele andere migratie in de wereldgeschiedenis is vergelijkbaar met de migratie van de 19de eeuw, met uitzondering van de gedwongen migratie van ongeveer acht miljoen Afrikaanse slaven naar Amerika en het Caribisch gebied, die om volledig andere redenen verhuisden... Het massale karakter van de slavenhandel heeft er echter voor gezorgd dat het nog tot 1840 duurde voordat deze nieuwe emigratiegolf de vorige oversteeg.[10]

---

* Het aantal immigranten bedroeg 300 000 per jaar aan het begin van de 19de eeuw en steeg tot een maximum van bijna een miljoen per jaar aan het begin van de 20ste eeuw. Bijna 30 % van de Finse immigranten is gekomen met tickets betaald door familieleden die er al waren gevestigd. Dit was ook het geval met 50 % van de Zweden en 40 % van de Noren.

Deze mobiliteit van personen, die kenmerkend is voor de 19de eeuw, wordt veroorzaakt door de grote 'ontworteling' die ontstond bij de ontvolking van het platteland. Als een kies die wordt getrokken, beëindigt de mensheid plotseling – binnen enkele tientallen jaren, in het extreme geval van Engeland, iets trager, namelijk in een eeuw tijd voor de overige geïndustrialiseerde landen – de tienduizend jaar van agrarisch sedentair bestaan die zijn verstreken sinds de ontwikkeling van de landbouw. De Oude Wereld was rijk aan mensen, maar arm aan grond. Frankrijk is al sinds de 17de eeuw 'eivol' om met Emmanuel Le Roy Ladurie te spreken. De mensen emigreren naar de Nieuwe Wereld, waar de situatie volkomen tegengesteld is. De invloed van deze migratie is aanzienlijk geweest, zowel voor het land van herkomst als voor het land van bestemming. In Europa stort de grondprijs in, in de nieuwe vestigingsgebieden schiet de prijs omhoog, terwijl de salarissen juist een sterk tegengestelde beweging vertonen.[*] Deze mobiliteit van personen verklaart voor een belangrijk deel waarom de lonen in landen als Ierland en Zweden steeds verder gelijk worden getrokken met die in Engeland, op dat moment het rijkste land van Europa.

---

[*] Tussen 1870 en 1910 stijgt in Australië de grondprijs met 400 %, in de Verenigde Staten met 250 %. In dezelfde periode daalt de grondprijs in Frankrijk en Engeland met ongeveer 50 %. Voor Ierland en Zweden, de twee landen waar deze daling het grootst is, verklaren de migraties de ontwikkeling van het arbeidsloon. De Ierse salarissen stijgen tussen 1870 en 1913 met 85 %, de Zweedse met 250 %. De meningen uit die tijd over de migratiebewegingen vinden weerklank in de huidige discussie. Men was bang dat de landen van herkomst door de emigratie hun beste krachten verloren, waardoor economische achterstand onvermijdelijk was. Aangezien ze niet konden industrialiseren, met name omdat ze te klein waren om te profiteren van schaalvoordeel, zouden deze landen gedoemd zijn ten onder te gaan.

Het is verleidelijk parallellen te trekken tussen de huidige mondialisering en die van de vorige eeuw, toch ligt juist hier een fundamenteel verschil dat een dergelijke vergelijking deels tot een gevaarlijke onderneming maakt. De mondialisering van nu is 'immobiel'. Goederen gaan de hele wereld over, maar volkeren ontmoeten elkaar alleen via televisie of gedurende de paar weken vakantie van toeristen uit rijke landen. De vorige mondialisering was totaal anders, tenminste voor wat betreft de nieuwe Europese vestigingsgebieden. Hier stonden niet goederen of beelden centraal, maar voornamelijk personen, die fysiek, 'reëel' en niet 'virtueel' de ene wereld verruilden voor de andere. In 1913 bestond naar schatting 10 % van de wereldbevolking uit immigranten. Dit percentage ligt nu driemaal zo laag.

In het kielzog van mobiliteit van personen volgt mobiliteit van kapitaal. De omvang hiervan is opnieuw niet te vergelijken met de huidige kapitaalmobiliteit. Als we bijvoorbeeld kijken naar hoeveel Brits geld in die tijd is geïnvesteerd in het buitenland, komen we uit op cijfers die we tegenwoordig verbijsterend zouden vinden. Aan de vooravond van de Eerste Wereldoorlog bevindt de helft van het Engelse spaargeld zich in het buitenland. In dezelfde periode exporteert Frankrijk een kwart van zijn spaargeld. Het Engelse kapitaal gaat voor bijna de helft naar Canada, Australië, Nieuw-Zeeland en de Verenigde Staten. Het dichtstbevolkte land van het Gemenebest daarentegen, India, wordt slechts mondjesmaat bedeeld met Engels geld.[*]

Uit de aard van de investeringen blijkt duidelijk een overeenkomst met de verplaatsingen van de mensen. Met de Engelse in-

---

[*] In 1913 is volgens Alan Taylor de helft van het Argentijnse kapitaal in handen van buitenlandse investeerders; zo ook 40 % van het Canadese kapitaal, 20 % van het Australische kapitaal en een kwart van het kapitaal van de Verenigde Staten.

vesteringen worden namelijk voor het grootste deel de grote infrastructuren gefinancierd, met name de nieuwe spoorlijnen, die de vestigingsgebieden nodig hebben om de Europese arbeiders te kunnen transporteren. Voor de ideologen uit die tijd, zoals Rosa Luxemburg, leek de kapitaalexport een van de bestaansvoorwaarden van het kapitalisme te zijn. Bepaalde hedendaagse historici zijn daarentegen van mening dat de Britse ondergang deels veroorzaakt is door deze voorkeur van de City voor buitenlandse beleggingen, waardoor Engeland de vruchten van zijn spaargeld niet kan plukken. Hoe het ook zij, de vergelijking met de huidige situatie leidt tot opmerkelijke conclusies. De stromen kapitaal en arbeidskrachten zijn tegenwoordig lang niet meer zo omvangrijk. Dit brengt sommige economen ertoe te beweren dat de draagwijdte van de huidige mondialisering in feite veel beperkter is dan die van de 19de eeuw.

DE INTERNATIONALE ARBEIDSVERDELING

Wat de mondialisering van de 19de eeuw in de ogen van hen die zich erin hebben verdiept zo verontrustend maakt, is het feit dat Europa zo in staat is geweest de onderwerping van de rest van de wereld voort te zetten. Centraal in het huidige debat over de effecten van de mondialisering staat de vraag waarom de grote Euraziatische beschavingen uit het verleden – de islam, India en China – zo abrupt terrein verloren ten opzichte van Europa, terwijl zelfs 'nieuwkomers' als Noord-Amerika en Australië, hoewel ze zich ver van het 'centrum' bevonden, een bliksemsnelle groei doormaakten.

Tijdens de eerste helft van de 19de eeuw wordt India geregeerd door een particuliere onderneming, de East India Company. Iets wat in de wereldgeschiedenis geen alledaagse zaak is. Voor de economen die de problemen in de derde wereld wijten aan een slechte *governance*, ligt hier een schitterende, levensgrote test met betrekking tot de gevolgen van particulier bestuur voor de welvaart van een land. De Compagnie mag dan rond 1850 het stokje overgeven aan de Britse Kroon, toch wordt het experiment daardoor geenszins aangetast. De vrijhandel kan volkomen onbelemmerd voortgang vinden, aangezien iedere barrière – tariefmatig of anderszins – verboden is. Een in Bombay getekend contract heeft dezelfde waarde als een in Londen getekend contract. Wat gebeurt er met de Indiase economie onder invloed van deze totaal zuivere vrijhandel? Het resultaat is ontstellend. Het verschil in rijkdom tussen een Indiër en een Engelsman wordt vijfmaal zo groot: van 1 op 2 in 1820 naar 1 op 10 in 1913. Wat is er gebeurd?

De grote theoreticus van de internationale handel, David Ricardo, legde uit dat handel tussen naties precies hetzelfde effect heeft als handel tussen personen: de arbeidsverdeling wordt erdoor gestimuleerd. Gewoonlijk oefent een persoon slechts één beroep uit. Je bent bakker of schoenmaker en zelden alletwee tegelijk, al kun je natuurlijk best geschikt zijn voor beide. Toegepast op naties betekent dit principe volgens Ricardo dat een land een sector dient uit te kiezen waarin het excelleert, niet absoluut maar vergeleken met de andere mogelijkheden waarover het beschikt. Aan het begin van de 19de eeuw lijkt de keuze duidelijk. Engeland moet zich toeleggen op industrie en met name textielindustrie, waarin het land een voorsprong heeft op de andere landen. Deze moeten dan logischerwijs een tegengestelde keuze maken die eruit bestaat te 'deïndustrialiseren' en zich specialiseren in landbouw of mijnbouw, waarin ze ten opzichte van Engeland relatief in het voordeel zijn. Dit is ook daadwerkelijk gebeurd.

De Indiase textielindustrie vertegenwoordigde, zoals in iedere traditionele samenleving, tussen de 65 en 75% van de industriele activiteiten van het land. Indiaas textiel en met name ongebleekt katoen, een veelgevraagd product in Londen, maakte aan het begin van de 19de eeuw tot wel 70% van de totale export van India uit. In de eerste helft van de 19de eeuw verbiedt de Engelse Oost-Indische Compagnie India te concurreren met Engelse bedrijven op Brits grondgebied. Met de consolidering van de industriële voorsprong en de heersende vrijhandel in de tweede helft van de eeuw komt het Engelse textiel op de Indiase markt, waar het de lokale nijverheid volledig vernietigt:* India verliest zo zijn industriële positie en specialiseert zich in producten waarbij het land wel degelijk over een relatieve voorsprong beschikt: jute, indigo en opium. Dit laatste is bestemd voor China, dat in ruil thee levert...

Uit deze traumatiserende ervaring zou de buitengewone wrok van de arme landen ontstaan ten opzichte van de 'internationale arbeidsverdeling'. Om rijk te worden lijkt het voor hen vanzelfsprekend, gezien het verleden, zich eerst te moeten industrialiseren. En hiervoor lijkt tegenover een zo geduchte tegenstander als Engeland handelsprotectie onontbeerlijk te zijn. Dit is trouwens ook de weg die Duitsland, de Verenigde Staten en Frankrijk spontaan inslaan als bij hen het industrialiseringsproces op gang komt. Als ze onafhankelijk worden, kiezen ook veruit de meeste ontwikkelingslanden als vanzelfsprekend voor protectionisme.

De ongelijke ruil

De automatische koppeling van landbouw aan armoede en van industrie aan rijkdom, die de derdewereldlanden zou gaan achtervolgen, gaat echter niet op voor Australië, Nieuw-Zeeland en Denemarken, agrarische landen die zich toch hebben weten op te trekken tot het inkomensniveau van de meest geïndustriali-

---

* Tegen het einde van de eeuw werd 55 tot 75% van de textielconsumptie van India geïmporteerd.[11]

seerde landen. Hoe valt te verklaren, zoals Arrighi Emmanuel schrijft, dat 'Engeland India ruïneert als dit land zijn katoenleverancier wordt, terwijl het Australië welvarender maakt als het hiervandaan zijn wol betrekt'?[12] Waarom behoren van de vijf voormalige Britse koloniën de Verenigde Staten, Canada, Australië, Nieuw-Zeeland en Zuid-Afrika de eerste vier tot de rijkste landen ter wereld, terwijl alleen de laatste arm is gebleven? Een uiterst cynisch antwoord ligt voor de hand: in het ene geval is de inheemse bevolking uitgeroeid, in het andere niet, maar wordt ze tegen lage lonen tewerkgesteld. In het eerste geval werd aan de blanken de middelen geboden om rijk te worden, in het andere geval werd uitsluitend geprobeerd de zwarten te gebruiken. Zoals een oud Zuid-Afrikaans spreekwoord zegt: 'Niets verandert zo weinig als het salaris van een zwarte man.

Niet het gebrek aan specialisatie in een bepaalde taak verklaart volgens Emmanuel de armoede in de derdewereldlanden, maar precies het tegenovergestelde. Juist omdat de mensen er arm en onderdrukt zijn, worden ze uitgebuit en moeten ze het minst aantrekkelijke werk doen. De opschudding die ontstond onder marxistische economen bij het verschijnen van Emmanuels *L'Echange inégal* (1969), had minder te maken met deze vaststelling, als wel met de conclusies die hij hieruit zou trekken. 'Als een arbeider in de derde wereld wordt uitgebuit,' voegt hij namelijk toe, 'lijkt het alsof het motief van de misdaad de schuldigen aanwijst: de kapitalisten.' De berekeningen die Emmanuel presenteert en die veel later door economen van alle stromingen worden bevestigd, zijn echter eenduidig. Er is geen enkel overtuigend bewijs dat in arme landen meer winst uit kapitaal wordt gemaakt dan in rijke landen. Er is overigens zelfs geen tendens te ontdekken van een internationale kapitaalstroom naar het Zuiden, maar het kapitaal heeft daarentegen juist eerder de neiging vanuit het Zuiden in de richting van het Noorden te stromen. Dit roept een gevaarlijke vraag op. Als de 'proletarische naties' worden uitgebuit, maar dit zich niet weerspiegelt in de winst van het kapitaal, waar is die meerwaarde dan eigenlijk gebleven? Of anders geformuleerd: wie profiteert er van de uitbuiting van de derde wereld?

De oplossing die Emmanuel biedt, is eenvoudig. Als de arbeidskosten in het Zuiden veel lager zijn dan in het Noorden en de marges zijn hetzelfde, is er boekhoudkundig gezien slechts één mogelijkheid. De goederen die in het Zuiden worden geproduceerd, moeten wel voor uiterst lage prijzen worden verkocht. Wie profiteert daarvan? Er blijft maar één schuldige over: de uiteindelijke consument, of eigenlijk dus de klant in de rijke landen, of nog eerder – omdat de winstmarges gelijk blijven – de arbeiders in het Noorden. Het door Emmanuel gegeven antwoord is dus simpel: dankzij de internationale handel kan 'een arbeider uit Michigan met een uur werken het product kopen van een hele dag werk van zijn collega uit het Zuiden'. De arbeidersklasse van de rijke landen buit de arbeidersklasse van de arme landen uit. Deze ontdekking plaatst Emmanuel naast een citaat van Friedrich Engels: 'Het Engelse proletariaat wordt steeds burgerlijker... Voor een natie die de wereld uitbuit, is dat in zekere zin begrijpelijk.'*

---

* Charles Bettelheim, uitgeefdirecteur van de serie 'Economie et socialisme' die Emmanuels werk voor uitgeverij Maspero publiceerde, was des duivels over deze stelling. Bettelheim bestempelt haar in zijn inleiding als 'kleinburgerlijk' (waaraan hij toevoegt dat deze terminologie niets 'pejoratiefs' heeft: 'Ik beoog ermee een ideologisch begrip te koppelen aan een maatschappelijke positie...'). In het nawoord preciseert hij dat het fundament van het proletarisch internationalisme hierdoor wordt weggeslagen, dat het ongevoelig is voor de epistemologische breuk – door Marx als eerste gebezigd – die de 'fundamentele tegenstelling [vaststelt] van het kapitalisme op het niveau van de klassenstrijd, de strijd waarin proletariaat en bourgeoisie tegenover elkaar staan' en uiteraard niet de strijd die het proletariaat van het Noorden tegenover het proletariaat van het Zuiden zou stellen...

Waarom zijn de lonen in de rijke landen zo hoog, terwijl ze in de arme landen zo laag zijn? Ook hierop kan het antwoord kort zijn. In het Noorden is de klassenstrijd in het voordeel van de arbeiders uitgepakt en in het Zuiden niet. 'Het resultaat van collectieve of individuele onderhandelingen tussen werknemers en werkgevers hangt grotendeels af van de relatie van de werknemerseisen met wat de maatschappij – op een zeker tijdstip en een zekere plaats – beschouwt als de salarisnorm, als verworven rechten, die op hun beurt weer het resultaat zijn van strijd en ontwikkelingen in het verleden,' schrijft Emmanuel. 'Als een land eenmaal een voorsprong heeft genomen door wat voor historische gebeurtenissen dan ook, al was het maar een ruiger klimaat dat zorgt voor extra behoeften van de mens, dan begint dit land door middel van ongelijke ruil de extra salariskosten te laten betalen door andere landen.' Met andere woorden, daar het om historische redenen met hogere salariseisen te maken heeft die door de vakbeweging worden ondersteund, kunnen de arbeiders uit het Noorden via internationale handel de arbeiders uit het Zuiden hiervoor laten betalen.

De manier waarop gewoonlijk het probleem van de wereldhandel wordt gesteld, dient dus te worden omgekeerd. Zweden heeft niet de hoogste levensstandaard van Europa omdat het hout exporteert. Gesteld moet worden dat het hout duur is omdat het wordt geproduceerd in een land waar de arbeidersklasse – ten gevolge van gegeven historische en politieke omstandigheden – opmerkelijke maatschappelijke overwinningen heeft behaald. Op de vraag waarom van de vijf voormalige Engelse kolonies slechts Zuid-Afrika arm is gebleven, antwoordt Emmanuel dat de verklaring rechtstreeks uit zijn theorie voortvloeit. In Zuid-Afrika zijn de arbeidskrachten inheems gebleven, ze bestaan uit in getto's bijeengedreven proletariaat in dienst van de blanken. 'Neem nu eens aan,' voegt hij met wrede ironie hieraan toe, 'dat de Zuid-Afrikanen morgen de Bantoes uitroeien, in plaats van hen als werknemers tegen lage lonen te werk te stellen, en hen vervangen door witte kolonisten met hoge salarissen. Naarmate de operatie meer of minder abrupt wordt doorgevoerd, zullen er heus wel verwarring, faillissementen, overgangs- en aanpassingsstrubbelingen ontstaan en de overgangsperiode zal zwaar zijn, maar het eindresultaat zal voor Zuid-Afrika een sprong voorwaarts zijn.'*

De theorie van Emmanuel is uiteraard een absolute gotspe. Als ze verkeerd wordt begrepen, kunnen hiermee landen in het verval worden gestort, en dit is ook met een flink aantal landen daadwerkelijk gebeurd toen zij probeerden de salarissen eenzijdig op te trekken in een tijd van inflatie, tekort op de betalingsbalans en financiële crisis. Toch bevatten Emmanuels ideeën in de kern een diamant waarop we zuinig moeten zijn. 'In de praktijk lijkt het erop of er in plaats van de middelpuntvliedende krachten die volgens de economische wetenschap de vooruitgang van het centrum naar de periferie zouden moeten verspreiden, onverwachts middelpuntzoekende krachten zijn opgetreden, waardoor alle rijkdom

---

* De lijst die Emmanuel aandraagt ter staving van zijn stelling is fascinerend. 'Nieuw-Zeeland en Australië,' stelt hij, 'zijn evenzeer exporteurs van "primaire" producten als Niger of Colombia. Het koper uit Rhodesië of Congo en het goud uit Zuid-Afrika zijn niet primairder dan de steenkool die in een recent verleden nog een van de voornaamste Engelse exportproducten was. Suiker wordt ongeveer evenzeer "bewerkt" als zeep of margarine en zeker meer "bewerkt" dan Schotse whisky of Franse wijnen. Koffie, cacao en katoen vragen voordat ze kunnen worden geëxporteerd, evenveel bewerking of meer nog dan hout uit Zweden of Canada. Voor olie zijn even kostbare installaties nodig als voor staal. Bananen of kruiden zijn even primair als vlees of melkproducten. Toch dalen de prijzen van de ene, terwijl die van de andere stijgen, en het enige gemeenschappelijke kenmerk is dat ze respectievelijk door arme landen en rijke landen worden geproduceerd.'

naar bepaalde groeipolen is gezogen.' Ook al is de economische wetenschap sindsdien van opvatting veranderd, dit inzicht blijft meesterlijk.

TERUGBLIK OP HET KOLONIALISME

Arrighi Emmanuel beschrijft de verhoudingen tussen Noord en Zuid als een economische relatie, een uitbuitingsrelatie. Hoe goed hij dit ook doet, hij maakt hiermee dezelfde fouten die eerder met betrekking tot het kolonialisme zijn gemaakt, dat eveneens werd voorgesteld als middel van de koloniale machten om de gekoloniseerde volkeren uit te buiten. Eén feit weerspreekt echter al meteen de theorie dat het kolonialisme een doorslaggevende factor zou zijn geweest voor de westerse welvaart: de koloniale machten hebben zonder uitzondering een minder snelle groei gekend dan de niet-koloniale machten. 'De correlatie is bijna perfect,'[13] stelt Paul Bairoch. Duitsland en de Verenigde Staten, die laat op het koloniale toneel zijn verschenen, kenden een snellere groei dan Frankrijk en Groot-Brittannië; Zweden en Zwitserland maakt een snellere economische ontwikkeling door dan Nederland of Portugal. Een beter voorbeeld nog is België, waar de groei vertraagt vanaf de tijd, eind 19de eeuw, dat het land een koloniale macht wordt. Omgekeerd ziet Nederland zijn groei versnellen als het zijn koloniën verliest. Zo is het volgens Bairoch ook 'zeer waarschijnlijk dat een van de redenen van de relatieve afwezigheid van het Verenigd Koninkrijk aan het eind van de 19de eeuw op het terrein van de "nieuwe" industrieën nu juist het feit is dat ze te veel koloniën tot hun beschikking hadden.'

De gedachte dat rijke landen zich zouden hebben verrijkt dankzij de exploitatie van grondstoffen die ze uit arme landen importeren, klopt niet, en wel om de doodeenvoudige reden dat de rijke landen lange tijd zelf deze grondstoffen hebben geproduceerd.

Het lot van de derde wereld is reeds bezegeld wanneer de import van grondstoffen door de rijke wereld regel wordt. Aan de vooravond van de Eerste Wereldoorlog, toen de ontwikkelde wereld al een industriële productie kende die zeven tot negen maal groter was per inwoner dan het mondiale gemiddelde in 1750, kwam 98% van de ertsen en 80% van de textielvezels uit de geïndustrialiseerde landen zelf. De energie vormt geen uitzondering. Tot in de jaren dertig van de 20ste eeuw produceerde de ontwikkelde wereld meer energie dan werd verbruikt en er ontstond zo een groot overschot, met name aan steenkool. De grootste energie-exporteur was in feite het eerste geïndustrialiseerde land, Engeland. Pas door de rol die de olie uit het Midden-Oosten is gaan spelen na de Tweede Wereldoorlog, is de situatie radicaal gewijzigd. Zelfs dan nog duurt het tot 1957 voordat de Verenigde Staten netto-importeur worden. Tot aan de Tweede Wereldoorlog was het Westen nagenoeg zelfvoorzienend. Vandaar de uitspraak van Bairoch, die reeds in de inleiding werd aangehaald: 'De rijke landen hebben de arme landen niet nodig, en dat is slecht nieuws voor de arme landen.'*

---

* Gedurende de 19de en het begin van de 20ste eeuw was gemiddeld slechts 17 % van de export uit de rijke landen bestemd voor gekoloniseerde landen; aangezien de export toen nauwelijks goed was voor meer dan 8 à 9 % van het bnp, werd toch slechts 1,3 à 1,7 % van het totale productievolume van deze landen geëxporteerd naar de arme landen, waarvan maar 0,6 à 0,9 % naar de koloniën. De overeenkomstige cijfers voor de Verenigde Staten zijn lager: 0,5 tot 0,9 % van het bnp was bestemd voor de arme landen en voor Europa 1,4 à 1,8 %, maar de diagnose is niet fundamenteel anders. Hét tegenvoorbeeld voor de gedachte dat de rijke landen de derde wereld nodig hadden als afzetgebied is Groot-Brittannië: 40 % van de Britse export is bestemd voor de derde wereld; aangezien de export uit die landen naar Engeland echter een hoger percentage betreft, brengt het cijfer voor Groot-Brittannië het exportvolume naar het Zuiden op 4,6 % van het bbp.

Een minder ongelijke ruil dan voorzien

Als het door Emmanuel beschreven mechanisme juist was, zou dit zich moeten vertalen in een voortdurende daling van de prijzen voor producten die in het Zuiden geproduceerd worden ten opzichte van de producten uit het Noorden, aangezien de rijken zich verrijken door duur te verkopen en goedkoop in te kopen, wat door economen een trendmatige verslechtering van de ruilvoet wordt genoemd. Emmanuel zet zijn stelling kracht bij met een dergelijke analyse uit een in 1949 verschenen studie van de Verenigde Naties. De door de VN berekende reeksen vertoonden een verslechtering van 40% van de ruilvoet van de primaire producten producerende landen van het eind van de 19de eeuw tot aan de vooravond van de Tweede Wereldoorlog.

Deze studie van de VN deed heel wat stof opwaaien. Gebruik makend van de resultaten ervan hadden talloze auteurs, met name uit Latijns-Amerika, precies zoals Emmanuel later zou doen, geconcludeerd dat protectionisme de enige manier was om een arm land rijker te maken.* Het probleem is dat de statistische gegevens in de VN-studie onjuist zijn. Er is geen trendmatige verslechtering geweest van de ruilvoet. Paul Bairoch, aan wie we de

---

* De overheersende mening was tot dan toe volkomen tegengesteld. Men dacht namelijk dat de prijzen voor industriële producten, die profiteerden van de komst van nieuwe technologieën, zouden dalen ten opzichte van de primaire producten die daar niet of nauwelijks van profiteerden. In 1942 voorzag de grote historisch econoom Colin Clark zo een verbetering met 90% van de ruilvoet in het voordeel van de primaire producten tegen 1960. De conclusie van de 'orthodoxe' economen met betrekking tot deze paradox was niet erg origineel. De prijzen van handelsgoederen stijgen slechts ten opzichte van die van primaire producten omdat de vraag naar de eerste groter is dan naar de tweede. Wat hen op het volgende snijdende antwoord van Emmanuel kwam te staan: 'Als we dit principe zouden aanvaarden, zouden we ook moeten aannemen dat op een dag het algemene salarisniveau in de Verenigde Sta-

meest overtuigende verklaring van dit misverstand te danken hebben, onthult de bron van deze vergissing op de volgende wijze. De prijs van een grondstof is tweeledig, het bedrag dat door de producent zelf wordt verdiend en daarbovenop de transportkosten. Deze laatste echter zijn in de onderzochte periode sterk gedaald. Door te corrigeren met deze factor dient de conclusie te worden omgekeerd: over de door de Verenigde Naties onderzochte periode is de ruilvoet van de arme landen niet verslechterd maar verbeterd. Met een ton Egyptisch katoen kon in 1870 7 ton Amerikaanse tarwe worden gekocht; in 1929 waren dit er 11 en in 1950 40.[*]

De enige belangrijke uitzondering op deze gemiddelde regel is de ontwikkeling van de suikerprijs, wat – nog steeds volgens Bairoch – verklaart waarom de stelling van de ongelijke ruil zo populair was in Latijns-Amerika. Volgens zijn berekeningen wordt er tussen 1876 en 1990 een verdrievoudiging van de ruilvoet genoteerd in het voordeel van de arme landen! Als de olie-exporterende landen niet worden meegerekend, is de stijging veel minder spectaculair, namelijk slechts 30 %. Na de oorlog daalde de ruilvoet van de arme landen – de olie niet meegerekend – wel met zo'n 25 %. Die daling kwam veel te laat om het grote schisma te verklaren tussen de rijke en de arme gebieden, ook al worden hierdoor op dit moment talloze arme landen voor ernstige problemen gesteld.

ten wel moet zakken tot onder dat in India als, bijvoorbeeld, de elasticiteit van de internationale vraag naar respectievelijk Amerikaanse auto's en Indiase katoen kentert ten nadele van de Verenigde Staten en deze situatie lang genoeg duurt om van invloed te zijn! Met al onze ervaring, al onze inzichten en al onze kennis, de statistieken en ons gezond verstand moeten we wel afstand nemen van een dergelijke hypothese.'

[*] De katoenprijs ging tussen 1880 en 1929 van 300 naar 570 dollar per ton terwijl de Amerikaanse graanprijs in dezelfde periode van 44 naar 51 dollar steeg.

De Cotton Mills

We moeten dus terug naar de drijfveren van de ongelijke ruil. Waarom slagen de arme landen er in de 19de eeuw niet in de rijke landen te beconcurreren? Als de Engelsen zich verrijkten door textiel te produceren, waarom slaagden de Indiase textielfabrieken (Cotton Mills) er dan niet in hun Engels rivalen te onttronen, terwijl de Engelse lonen aan het begin van de 20ste eeuw meer dan zes maal zo hoog waren als de Indiase? Anders gezegd, waarom waren de Indiase textielfabrieken niet rendabeler? Deze vraag, die vandaag de dag door Engelse industriëlen wordt beantwoord met verplaatsing van hun textielproductie naar India, is lange tijd een raadsel gebleven. Gregory Clark heeft aan dit voorbeeld een fundamenteel artikel gewijd, 'Why Isn't the Whole World Developed? Lessons from the Cotton Mills', dat in 1987 verscheen in het *Journal of Economic History* en waarin de heersende opvattingen worden weersproken.

Gebrek aan kapitaal en te laag gekwalificeerde arbeidskrachten zijn mogelijk twee redenen waarom de Indiase productie veel minder rendabel was dan de Engelse. Zoals Clark laat zien, gaat dit in de industriële context van de 19de eeuw volstrekt niet op. Vanaf de tweede helft van de 19de eeuw was er geen enkele belemmering voor Indiase of Chinese ondernemers om Engelse of Amerikaanse machines aan te schaffen. Bepaalde bedrijven, zoals Platt, exporteerden wel 50% van hun machines (Ring Frames). Platt verkocht er in Engeland nauwelijks meer dan in Brazilië, Mexico, India of Japan. Rusland is in feite Platts grootste markt, nog voor Engeland zelf. In de jaren veertig van de 19de eeuw kon het wel tien maanden duren voor een probleem met een Engelse machine door de fabrikant was opgelost. De telegraaf en de onderzeese kabelverbinding stelden Platt in staat doeltreffende service te verlenen. Vanaf dat moment werden de geëxporteerde machines in feite even productief als die welke in Engeland werden gebruikt. Op iedere gebruikte machine lag de Indiase draadproductie amper 15 % lager dan de Engelse.

Arbeid is de tweede mogelijke negatieve factor om de zwakke prestaties van de Indiase bedrijven te verklaren. Indiase of Chinese arbeiders beginnen pas laat in de geschiedenis de weg naar de fabriek te vinden. Ze hebben geen beroepservaring. Als vervolgens wordt gekeken naar het percentage analfabeten, zijn de cijfers helemaal onthutsend. In 1950 is 80 % van de Indiase bevolking nog steeds analfabeet, terwijl een eeuw eerder, in 1850, de Verenigde Staten al minder dan 20 % analfabeten tellen. In Frankrijk, dat van alle geïndustrialiseerde landen de grootste achterstand heeft, betreft het op dat moment 40 %. In 1900 is dat cijfer teruggelopen tot 17 %.

Deze verklaring, waaraan tegenwoordig veel waarde wordt gehecht, is niet minder doorslaggevend aan het begin van de 20ste eeuw. In die tijd werden in de Verenigde Staten dezelfde technologieën toegepast, waarbij werkloze boeren uit het zuiden van het land werden ingezet. Het feit dat zij elke beroepservaring misten, heeft de Amerikaanse industrialisering niet vertraagd. Zo werden ook in Japan en Engeland jonge arbeiders ingehuurd, over het algemeen voordat ze trouwden, zonder enige professionele ervaring op wat voor gebied dan ook. In de katoenfabrieken waren overigens haast geen functies die een speciale vooropleiding vereisten. In New England was meer dan een kwart van de arbeiders die in deze fabrieken werkten in feite Pools, Portugees, Grieks of Italiaans, met weinig industriële ervaring en vooropleiding. Uit informatie over immigranten die de Immigratiecommissie van de Amerikaanse Senaat in 1911 heeft verzameld, blijkt dat de salarissen van de nieuwkomers zeer dicht bij elkaar lagen – ze ontvingen bijvoorbeeld allemaal ongeveer hetzelfde salaris als een immigrant uit Engeland – terwijl toch de productiviteit van deze zelfde arbeiders in hun land van herkomst uiteen kon lopen van even hoog tot het viervoudige. Zo verdiende een Griekse immigrant 80 % van het salaris van een Engelse immigrant, terwijl in Griekenland zijn productiviteit vier keer zo laag lag als die van een arbeider in een Engelse fabriek. De zwakke productiviteit van de Indiase arbeiders kan dus niet worden verklaard door de 'intrinsieke' geschiktheid voor het werk of andere 'natuurlijke' eigenschappen.

Dus moet er elders worden gezocht. Als het noch het kapitaal, noch de arbeid is dat op zichzelf de sleutel biedt tot dit raadsel, moet het simpelweg in de combinatie van de twee gelegen zijn. Elke Engelse arbeider bediende gemiddeld vier weefgetouwen tegelijk. Aan het begin van de 20ste eeuw is het laten bedienen van zes getouwen inzet van sociale conflicten in Engeland. Op hetzelfde moment bedienen de arbeiders in India slechts één weefgetouw tegelijk en weigeren ze categorisch over te stappen op twee. Een van de voorlieden gaf als commentaar: 'De arbeiders doen niets; ze zouden best harder kunnen werken, maar dat weigeren ze...' Waaraan hij de volgende uiterst verhelderende uitspraak toevoegt: '... behalve als ze meer betaald krijgen!'

Er breken in Bombay in 1928 grote stakingen uit om het lokale kader ervan te weerhouden het werktempo op te voeren. Aangezien de Indiase managers weigeren de salarissen te verhogen, weigeren de Indiase arbeiders zich aan te passen aan het Engelse tempo. Nu wil de ironie van de geschiedenis dat de Sovjet-Unie het niet beter doet. De poging de Russische textielarbeiders ertoe te bewegen drie weefgetouwen te bedienen in plaats van twee, zal mislukken. In Frankrijk, dat achterloopt op Engeland, worden op dat moment onderhandelingen gevoerd over de over-

gang van drie naar vier getouwen.[*] Hier vinden we deels de grond-
gedachte terug waarop Emmanuel zijn redenering heeft gebaseerd. Er bestaat een fundamenteel verschil tussen de salariseisen
in het Noorden en die in het Zuiden. In het centrum van het kapitalisme, in Engeland en de Europese vestigingsgebieden, maken de hoge arbeiderssalarissen wezenlijk onderdeel uit van het
kapitalisme: ze stimuleren of begeleiden de metamorfoses ervan.
In de zuidelijke landen zijn salariseisen bij voorbaat al illegitiem:
ze remmen de ontwikkeling van het kapitalisme, ze blokkeren het,
verjagen het naar andere contreien of dringen het terug.

De geest van het kolonialisme

In tegenstelling tot wat Emmanuel dacht, is het toch niet de grotere strijdlust van de Engelse arbeiders die hun grotere rijkdom
verklaart. Op het gevaar af de paradox te ver door te trekken kan
zelfs worden beweerd dat exact het tegenovergestelde het geval is:
het feit dat ze een hoger werktempo accepteren, heeft veel meer
meegeteld. De Indiase arbeiders worden niet passief uitgebuit.
Dat laten ze niet toe. Ze verwerpen ook het kapitalisme niet, ze
verwachten er alleen hogere lonen van. Waarom zijn de Indiase
kapitalisten niet in staat geweest zelf de a priori simpele ontdekking te doen dat mensenwerk niet productief kan zijn zonder aandacht voor wat de mens zegt over zijn aspiraties? Toch waren er
talloze buitenlandse experts. Maar hier ligt nu net het probleem.

---

[*] Deze opvatting omtrent het kapitalisme is zeker niet origineel. In de begin-
jaren van de 19de eeuw bleef het loon van de Engelse arbeiders op het niveau
van het bestaansminimum. 'Het dagloon van een arbeider in de Engelse steden vertegenwoordigde tegen 1780 het equivalent van 6 à 7 kilo graan. Het ligt
voor de hand dat elders, in India of de derde wereld, deze verhouding op 5 à 6
kilo neerkwam. Tegen 1910 was het Engelse loon gestegen naar het equivalent
van 33 kilo graan, terwijl het in India waarschijnlijk gelijk was gebleven.'[14]

India werd in die tijd beheerst door wat 'de geest van het kolonialisme' zou kunnen worden genoemd, waardoor met de inheemse bewoner totaal geen rekening werd gehouden.

Albert Memmi heeft in zijn *Portrait du colonisé* uitstekend beschreven wat bovengenoemde 'geest' inhield.[15] Dit boek, een beschrijving van de koloniale situatie in Tunesië uit 1957, raakt de kern van de kwestie die ons bezighoudt. In de ogen van Memmi voelt de kolonist zich nutteloos, hij weet dat hij alles te danken heeft aan het moederland, dat hem voedt en ondersteunt. 'Frankrijk wordt verpletterd onder het gewicht van Algerije en wij weten nu dat we met de oorlog zullen stoppen, zonder overwinning of nederlaag, als we geen geld meer hebben hem te betalen,' vatte Jean-Paul Sartre de situatie samen in zijn voorwoord in het boek. Om zijn eigen bestaan betekenis te geven moet de kolonist wel afdingen op die van de gekoloniseerde, door hem te wijzen op zijn inferioriteit op ieder gebied. Elke poging tot opstand van deze laatste wordt niet alleen onderdrukt, maar is zelfs welkom: het biedt de kolonist de unieke kans niet alleen zijn eigen superioriteit te bewijzen ten opzichte van de gekoloniseerde, maar ook die van de 'beschaving' die hem hier heeft gebracht. 'De kolonist spant zich voortdurend in om met woorden en daden de plaats en het lot van de gekoloniseerde, zijn partner in het koloniale drama [...] te verklaren, te rechtvaardigen en te handhaven. De kolonisator is pas ook echt meester als hij dat niet alleen objectief gezien is, maar ook zelf gelooft in de legitimiteit ervan.'

Deze existentiële minachting van de kolonisator verklaart, zowel in het Indiase als het Tunesische geval, waarom het ondenkbaar was dat er geluisterd zou worden naar de looneisen van de inheemse arbeiders. Het is duidelijk waarop de 'ongelijke ruil' is gebaseerd: niet op de uitbuiting van arme arbeiders door rijke arbeiders, zoals Emmanuel dacht, maar op de weigering van de eerste groep om anders dan de tweede groep te worden behandeld, op hun bewering gelijk te zijn aan de rest van de mensheid.

Slotsom

De mislukking van de Indiase industrialisering steekt schril af bij de wijze waarop deze zich in de Verenigde Staten en Australië heeft voltrokken. Moeten we hier, met Emmanuel, de cynische conclusie trekken dat het uitroeien van de inboorlingen dus de enige manier was om 'de vooruitgang' te verbreiden? Dit zou dan overeenkomen met Diamonds beschrijving van de wijze waarop agrarische samenlevingen door vernietiging de samenlevingen van jagers-verzamelaars hebben vervangen. Dat is echter niet de schuld van de inheemse bevolking zelf; anders zou het niet begrijpelijk zijn dat een Indiase immigrant in New England evenveel verdient als een Engelse arbeider die onder dezelfde omstandigheden werkt. Het is veel eerder de schuld van het Indiase kapitalisme zelf. Het principe dat Henry Ford begin 20ste eeuw in praktijk brengt en dat is gebaseerd op het idee dat er meer winst kan worden gemaakt door de lonen van de arbeiders te verhogen en zo hun instemming en medewerking te verkrijgen, is niet haalbaar in het India van de 19de eeuw.

Hierin ligt een verklaring volgens welke principes de verbreiding van de landbouw en de verbreiding van het kapitalisme worden geregeerd door volkomen verschillende wetten. Op het moment dat de samenlevingen van jagers-verzamelaars de landbouw ontdekken, gaan ze hiertoe over omdat ze zo'n omwenteling als nuttig ervaren voor hun voeding, of ze verwerpen de landbouw omdat ze er een risico in zien voor hun levenswijze. In het eerste geval sorteren ze hiermee een serie onverwachte, soms negatieve effecten die hun levensomstandigheden geheel veranderen, in het tweede geval worden ze blootgesteld aan bedreiging door samenlevingen die wel voor de landbouw hebben gekozen. De landbouw wordt dus verder verbreid door een vreemd samenspel van acceptatie en vernietiging.

Het kapitalisme wordt op een andere wijze verbreid. Hier gaat collectieve afkeer aan de acceptatie vooraf. De arbeiders zien het in het begin niet als een geschenk uit de hemel. Ze komen naar de fabriek, vaak op de vlucht voor armoede, en krijgen een baan waarvoor ze een loon ontvangen waarmee ze maar net in hun levensonderhoud kunnen voorzien. Daarna volgt pas de acceptatie, vaak op basis van voorwaarden die niet het kapitalisme zelf betreffen: zoals gezondheid, onderwijs en later ook sociale zekerheid. Omdat het Indiase kapitalisme het belang van de aspiraties van de arbeiders niet heeft ingezien, heeft het deze historische boot gemist, net zoals volgens de voorspellingen van Marx het Engelse kapitalisme waarschijnlijk zou zijn verzwakt als het er geen acht op had geslagen.

Toen ze onafhankelijk werden, had een groot aantal arme landen de neiging te geloven dat het voldoende zou zijn de buitenlandse kapitalisten te vervangen door inheemse planners om het vonkje van de economische groei over te doen slaan. Nadat ze korte tijd de protectionistische weg hadden geprobeerd die de theoretici van de ongelijke ruil hun hadden gewezen, gingen ze een toontje lager zingen. De rijke landen kunnen evenmin worden ingehaald door te vluchten in protectionisme als door de vrije markt in de armen te sluiten. Daarom komen na de dood van Mao en de val van de Berlijnse muur de arme landen één voor één terug aan de tafel van het wereldkapitalisme. De vraag is nu of ze van de protectionistische Charybdis zullen afstevenen op de Scylla van de mondialisering. Deze vraag kan niet beantwoord worden zonder te hebben begrepen dat het kapitalisme in de rijke landen opnieuw diepgaand van aard is veranderd.

HOOFDSTUK III

De nieuwe economie

DE DERDE MONDIALISERING

Er is een eeuw verstreken. Nadat de internationale handel in de problemen is geraakt tijdens de grote crisis van de jaren dertig, hervindt hij zijn vitaliteit kort na het einde van de Tweede Wereldoorlog. In vijftig jaar tijd, van 1950 tot 2000, is het aandeel van de handel in het bbp (bruto binnenlands product) meer dan verdubbeld; de groei van de internationale handel kende in deze periode vrijwel geen onderbreking.*

Ondanks deze spectaculaire groei moeten we toch tot 1973 wachten totdat de cijfers van de wereldhandel in percentages van het bbp weer het niveau van 1913 bereiken. In Engeland zijn de cijfers pas begin jaren tachtig weer terug op hun niveau van het begin van de eeuw. Dit geeft de omvang aan van de recessie van de jaren dertig. Het toont tevens aan dat het wereldkapitalisme pas laat de intensiteit van de 19de eeuw terugvindt.** Deze statistische constatering in aanmerking genomen, kunnen we stellen dat de jaren negentig het begin zijn van een nieuwe mondialiseringscyclus. De grote handelsmacht van vroeger, Engeland, maakt nu plaats voor een nieuwe, de Verenigde Staten. Bij de revolutie van communicatiemiddelen die in het verleden werd veroorzaakt door de telegraaf en vervolgens de telefoon, voegt zich

---

* In de OESO-landen steeg de handel gemiddeld van 12,5% in 1960 tot 20% in 2000.

** Wereldexport van goederen (in % van het bbp)

1850	1880	1913	1950	1973	1985	1995
5,1	9,8	11,9	7,5	11,7	14,5	17,1

nu de internetrevolutie, waardoor industriële activiteiten wereldwijd in *real time* met elkaar in contact staan.

Deze analogie is echter misleidend, of was dit tot voor kort, liever gezegd. De aard van de internationale handel van na de oorlog is totaal verschillend van die in de 19de eeuw. In 1913 importeerde Engeland – de grote handelsnatie van die tijd – graan en thee en exporteerde het textiel. Het handelde voornamelijk met verre en ongelijksoortige landen.* Dit is nu niet meer zo. Handel is bovenal een zaak van rijke landen geworden. Europa is wat dit betreft exemplarisch. De Europese Unie alleen al is goed voor bijna 50% van de wereldhandel. Tweederde van de export en import is echter bestemd voor of afkomstig van lidstaten. Frankrijk, Italië, Nederland en Engeland zijn de belangrijkste handelspartners van Duitsland, de grootste exporterende macht in Europa. Het handelsvolume tussen Duitsland en de Verenigde Staten is geringer dan de handel van Duitsland met België en Luxemburg. En de producten zijn binnen Europa ook nog eens vrijwel identiek! Renaults worden tegen Volkswagens verhandeld, Saint-Laurents tegen Prada's... Het merendeel van de wereldhandel blijkt dus gelijksoortige handel, zowel wat de producten als de handelspartners betreft.

Iemand die op de hoogte is van de 19de-eeuwse theorieën over de wereldhandel, kan zich onmogelijk voorstellen dat twee volkomen identieke landen, bijvoorbeeld Frankrijk A en Frankrijk B, er ook maar enig belang in zouden stellen handel met elkaar te drijven. Het belangrijke inzicht van David Ricardo gaat uit van een

---

* In de naoorlogse jaren is het aandeel van de derde wereld in de export van West-Europa gekelderd van 28% in 1955 naar 14% in 1972. De wanverhouding tussen Noord en Zuid is opvallend: de export van rijke landen naar arme landen bedraagt slechts 2% van hun bbp. De export van arme landen naar rijke landen is vijfmaal hoger.

simpele constatering die universeel lijkt: wat men verkoopt, is haast per definitie anders dan wat men koopt. De bakker koopt schoenen bij de schoenmaker die op zijn beurt brood van hem koopt. Zo ook, verklaart hij, verkoopt Engeland textiel aan Portugal en koopt het wijn terug. Hoe groter de verschillen tussen landen qua omstandigheden en expertise, des te meer producten er te verhandelen zouden moeten zijn. Ricardo en zijn volgelingen zouden verbaasd staan als ze erachter kwamen dat de huidige wereldhandel, in plaats van banden te scheppen tussen landen die ver uiteen liggen, allereerst en voornamelijk een zaak is tussen landen die in alles op elkaar lijken.

Waarom lijken Frankrijk A en Frankrijk B tegen elke verwachting in er meer in geïnteresseerd onder elkaar handel te voeren dan met verre landen die dus a priori anders zijn? Waarom handelt Europa zevenmaal minder met Noord-Amerika of met heel Azië dan binnen de eigen grenzen? Om dit te beantwoorden moeten we de redenen bezien waarom iemand kiest om bakker of schoenmaker te zijn; en nooit beide tegelijkertijd. Ricardo legt uit dat men altijd een comparatief voordeel erft voor het ene vak of het andere en dat dit voordeel rechtvaardigt dat men zich op één enkel gebied specialiseert. Laten we echter eens aannemen dat dat niet zo is. We nemen twee volkomen identieke personen die wonen in een en hetzelfde dorp dat een bakker en een schoenmaker nodig heeft. Los van de vraag of een van de twee een wezenlijk voordeel heeft in de richting van een bepaalde activiteit, is het toch voor elk van belang zich ergens in te specialiseren, desnoods door een munt op te werpen om te besluiten wie wat gaat doen. De redenen hiervoor zijn eenvoudig te begrijpen en hebben niets te maken met de inzichten van Ricardo. Het heeft te maken met wat de economen 'schaalvoordeel' noemen. Het is beter zich te specialiseren en fulltime één enkele activiteit uit te oefenen dan parttime bakker en parttime schoenmaker te zijn. Er hoeft dan maar één beroep te worden geleerd en één winkel te worden gekocht. Schaalvoordeel betekent minder kosten en investeringen en een hogere omzet. Beiden zullen een groter comparatief voordeel genieten dankzij hun specialisatie op grond van de marktsituatie en niet op grond van een 'erfenis'.

Dit idee staat nu centraal in 'nieuwe theorieën over internationale handel'.[16] Met het oog op schaalvoordeel gaat het een bedrijf dat in een bepaald gebied is gevestigd, altijd beter als het zijn invloedszone uitbreidt over de natuurlijke grenzen heen. De bakker van dorp A zal proberen schaalvoordeel te realiseren door zijn brood in de dorpen B en C te verkopen. Wat gebeurt er dan met de bakkers van de dorpen B en C? Sommigen zullen verdwijnen. Als bakker A agressiever te werk gaat, zal hij marktaandeel overnemen waardoor hij zijn kosten verder kan verminderen. Maar als bakker A om volledig te profiteren van het schaalvoordeel alleen stokbrood verkoopt, kunnen de bakkers B en C proberen andere soorten brood te verkopen: de een ambachtelijk brood en de ander luxebroodjes. De diversiteit van het aanbod zal de handel tussen buurlanden bevorderen.

De ingebeelde mondialisering

Dit is in grote lijnen de aard van de tegenwoordige handel: steunend op verwante producten en voornamelijk bestaand uit handel tussen buurlanden met consumenten van wie de smaken dicht bij elkaar liggen. De mondialisering op de 'ouderwetse manier', in de betekenis van de 19de eeuw, handel over lange afstanden tussen twee ongelijksoortige landen, is veel minder snel gegroeid dan de mondialisering 'in de buurt'. Als we de handel met andere Europese landen niet meerekenen, dan beloopt de handel met de rest van de wereld 10% van het bbp van Frankrijk, inclusief die met de Verenigde Staten en Japan.

De econoom Jeffrey Frankel maakte wat dit betreft een simpele rekensom.[17] De Amerikaanse economie vertegenwoordigt ongeveer een kwart van de wereldeconomie (dezelfde rekensom gaat op voor geheel Europa). Als deze economie volledig geïntegreerd was in de wereld, in die zin dat inkoop en verkoop volledig ongevoelig zijn voor herkomst of bestemming van de commerciële partner, dan zou driekwart van de goederen in het buitenland worden gekocht of verkocht. Inkoop en verkoop belopen echter slechts 12 % van het bbp. Als we nu naar het theoretische en het reële cijfer kijken, dan zien we een verhouding van 1 op 6. In werkelijkheid is er dus zesmaal zo weinig handel met het buitenland als in een perfect geïntegreerde wereld het geval zou zijn. Robert Solow parafraserend zouden we kunnen zeggen dat we overal mondialisering zien, behalve in de statistieken. We zien op elke straathoek een McDonald, in elke bioscoop Amerikaanse films, in elke cafetaria Coca-Cola, maar niet de duizenden cafés waar we een broodje gezond nemen, noch flessen Spa of Bar-le-Duc. We zien niet dat in de regionale pers de gemeenteraadsverkiezingen nog altijd hét nieuws zijn. Voor ons, de rijke landen, is de mondialisering voor een groot deel ingebeeld, misschien is het wel 'onze' inbeelding.

DE POSTINDUSTRIËLE ECONOMIE

Het is onbegrijpelijk waarom de mondialisering de mensen zo bezighoudt terwijl uit de statistieken het belang zo klein blijkt, als we niet inzien dat ze in feite een bijkomstigheid is bij een belangrijke transformatie: de overgang van een industriële economie naar een postindustriële economie. Enkele getallen illustreren van het verbazingwekkende contrast tussen handelscijfers en werkgelegenheidsopbouw. De handel draait voor 80% op industriële en agrarische producten en slechts voor 20% op dienstverlening. De realiteit inzake de werkgelegenheid in de rijke landen is een volledig tegengestelde situatie. De werkgelegenheid in industrie en landbouw is in feite goed voor minder dan 20 % van de totale werkgelegenheid, de dienstverlening voor bijna 80 %. De internationale handel draagt nog slechts mondjesmaat bij aan de werkgelegenheid.* We hebben hier te maken met de enige reële parallel die we kunnen trekken tussen de mondialisering van vroeger en die van nu.[19] In de 19de eeuw heeft de mondialisering de overgang van een agrarische samenleving naar een industriële samenleving eerder bespoedigd dan veroorzaakt. Nu gaat zij op dezelfde manier gepaard met een verschuiving van een industriële samenleving naar een postindustrieel tijdperk.

Niets is zo dubbelzinnig als de term postindustriële economie. Dankzij de Franse econoom Jean Fourastié werd het belang van de dienstverlening al snel benadrukt. In geen enkele 'geïndustrialiseerde' natie, op één enkele uitzondering na, heeft ooit meer dan de helft van de beroepsbevolking in de industrie gewerkt. De Verenigde Staten en Frankrijk zijn hier goede voorbeelden van. In het begin van de 20ste eeuw bestond de bevolking in beide landen voor meer dan de helft uit agrariërs, de rest in gelijke mate uit fabrieksarbeiders en werknemers in de dienstverlening. Op het hoogtepunt van de industrie, in de jaren vijftig, komt haar aandeel niet boven een derde van de totale werkgelegenheid uit. In 1949 telde Frankrijk al meer werknemers in de dienstverlening dan fabrieksarbeiders. Tegenwoordig werkt 85 % van de Amerikaanse bevolking in de dienstverlening; in Frankrijk is dit 75 %.

---

* De intensiteit van de wereldhandel is indrukwekkend als de cijfers worden beperkt tot industriële producten. Frankrijk en Engeland exporteren tweederde van hun industriële productie, de Verenigde Staten exporteren de helft. Aan het begin van de 20ste eeuw waren de overeenkomstige cijfers in Frankrijk 23 % en in de Verenigde Staten 13 %.[18]

Het enige land in de hele wereldgeschiedenis waar het bevolkingsdeel dat werkzaam is in de industrie dicht bij de 50% komt, is het Engeland van de 19de eeuw. Maar in 1913 is dit aandeel alweer gezakt. Het kan dus wat komisch lijken van een postindustriële samenleving te spreken terwijl de werkgelegenheid in de industrie nooit dominant is geweest. Activiteiten in de dienstverlening zijn er vrijwel altijd al geweest. Hun kwantitatieve belang is dan wel gegroeid, maar betekent dit dat er een ommezwaai heeft plaatsgevonden? Heel wat misverstanden zijn hierop gebaseerd.

Daniel Bell, die de term voor het eerst heeft gebuikt, interpreteerde de postindustriële maatschappij als een kennismaatschappij. Deze term is nuttig om te benadrukken wat een 'derde tijdperk' van de economie kan blijken te zijn. Na het eerste 'landbouwtijdperk', waarin grond de belangrijkste productiefactor was, is het industriële tijdperk gekomen, waarin de mens met zijn fysieke kracht de belangrijkste motor van de economische activiteit is, een tijdperk dat Marx definieert als dat van de meerwaarde. We leven nu in een derde tijdperk waarin kennis de belangrijkste productiefactor is. Deze omschrijving heeft de verdienste dat zij de postindustriële samenleving een historische dimensie geeft, die overigens niet ver verwijderd is van het equivalent van het 'einde van de geschiedenis', want we kunnen ons moeilijk voorstellen wat een vierde tijdperk van menselijke samenlevingen zou kunnen zijn.*

---

* De OESO heeft een kwantitatief onderzoek verricht dat de draagwijdte van dit idee duidelijk maakt, waarbij de in onze economie uitgevoerde taken opnieuw worden gedefinieerd op basis van een schema waarmee getracht wordt vast te stellen of voor een beroep al dan niet kennis nodig is. Zo is een schema tot stand gekomen waarin 50% van de banen zouden zijn opgenomen.

William Baumol heeft een theorie ontwikkeld over de tertiairisering van de economie. Volgens hem bestaat de economie uit twee sectoren. Allereerst is er een 'productieve' sector waarin de technische vooruitgang en de automatisering van het werk het mogelijk maken menskracht steeds verder terug te dringen omdat de machine de mens kan vervangen. De tweede is een 'stagnerende' sector waaronder activiteiten vallen als vioolspelen, een patiënt verzorgen of pizza's bezorgen en waarin altijd hoofdzakelijk gebruik moet worden gemaakt van menselijke tijd. De 'stagnerende' sector omvat volgens Baumol dienstverlening aan particulieren, overheidsdiensten, gezondheidszorg, onderwijs en recreatie. Bij het werk in deze aldus gedefinieerde sectoren was na de oorlog een kwart van de beroepsbevolking betrokken, in 1980 meer dan de helft en tegenwoordig bijna driekwart. Deze zienswijze benadert de 'overlooptheorie' (théorie du déversement) van Alfred Sauvy. Werkgelegenheid met machines neemt af en er vindt 'overloop' plaats naar werk dat niet met machines kan worden gedaan en waar menskracht onontbeerlijk blijft. We zijn ook niet ver meer van wat Fourastié de 'grote hoop van de 20ste eeuw' noemde, namelijk de opkomst van een economie waar het werk in de 'dienstverlening' de plaats inneemt van het werk in de industrie waardoor de economie eindelijk humaan wordt.

Deze twee manieren om de postindustriële economie te definiëren – als een kenniseconomie op de manier van Daniel Bell, of als een diensteneconomie volgens Baumol of Fourastié – zijn niet tegenstrijdig. Ze stemmen met elkaar overeen omdat beide wijzen op het einde van een wereld waarin het werk van de mens met objecten, dat industriële activiteit eigen lijkt te zijn, essentieel is. Strikt genomen kenmerkt de postindustriële samenleving zich niet door ons gebrek aan belangstelling voor de wereld van objecten. Baumol merkt integendeel op dat de hoeveelheid objecten die we hanteren, nog nooit zo groot is geweest als nu. Wat tegenwoordig echter waarde heeft, wat telt voor de prijs van een artikel, is niet meer de tijd die nodig is om het te fabriceren. De twee activiteiten upstream en downstream, de conceptie en de prescriptie, nemen nu de belangrijkste plaats in.

Aan het begin van de waardeketen staat de productie van een 'immateriële' zaak: een chemische formule in geval van een geneesmiddel, een lied voor een cd, een merk of een logo voor een sportschoen of een kledingstuk. Het geneesmiddel is echter niets zonder de arts die het voorschrijft, het merk van een sportartikel is van weinig belang zonder het warenhuis waar het zal worden ontdekt, vergeleken met andere merken en eventueel gekocht. Aan het andere uiteinde van de keten staan de *face to face*-activiteiten, F2F, zoals E. Leamer en M. Storper het – B2B (*business to business*) parafraserend – noemen. Het zijn activiteiten die dienen als schakel voor of aanvulling op de immateriële zaken die ze aan de man brengen. Deze F2F-activiteiten zijn lokale activiteiten. Er moet een hoge grondprijs voor deze activiteiten worden betaald en ze zijn afhankelijk van plaatsen waar mensen wonen. Ze nestelen zich het liefst in de wijken; het betreft zowel de kruidenier die om middernacht sluit als de arts die men graag in zijn nabijheid weet. De term mondialisering wordt pas goed begrepen als men in de gaten heeft dat hiermee in feite twee op het oog tegenstrijdige termen worden samengebracht: lokaal geworteld zijn en mondiale ontworteling.

No LogO

Niets karakteriseert de nieuwe wereldeconomie beter dan het voorbeeld van de beroemde schoenen van Nike. Ontworpen in de Verenigde Staten, geproduceerd in Indonesië en overal verhandeld, is Nike het mikpunt bij uitstek van de No Logo's, antiglobalisten enzovoort. Dit is meesterlijk verfilmd door de cineast Michael Moore die de sweatshops, het werk in de Indonesische hel, aan de kaak stelt. Laten we de prijs van een paar Air Pegasus eens nader bekijken. Het wordt voor 70 dollar en ongeveer evenveel euro verkocht. Eerste vraag: wat verdient de man – of eerder vrouw – die het fabriceert? Antwoord: 2,75 dollar. De verbijstering bij het lezen van dit bedrag moge duidelijk zijn, vooral voor hen die de aandacht hebben gevestigd op het verschil tussen de prijs die voor dit paar sportschoenen wordt betaald in Parijs of New York en het loon dat hij of zij ontvangt die het ergens in Marokko of Indonesië fabriceert. Wat we verder ook te weten mogen komen over de rest van de kostenstructuur, niets belet ons een eenvoudig rekensommetje te maken: wat kost het de uiteindelijke consument als het loon van degene die de schoenen fabriceert, wordt verdubbeld? Zou het zo erg zijn hetzelfde paar schoenen voor 72,75 dollar te kopen in plaats van 70 dollar?

Als we de kostenstructuur verder analyseren, zien we dat dit nog niet alles is. Om een paar schoenen te fabriceren is niet alleen arbeid nodig maar ook grondstof, leer, rubber enzovoort. Er moeten ook machines worden gekocht, magazijnen worden gehuurd en er moet rente worden betaald over geïnvesteerd kapitaal. Vervolgens moet er worden geëxporteerd. De kosten van een paar Nikes bedragen bruto 16 dollar. Het mysterie blijft in dit stadium nagenoeg intact. Hoe groeit een productieprijs van 16 dollar naar de prijs van 70 dollar die aan de klanten wordt berekend? Het antwoord is tweeledig. Om te beginnen zet Nike reusachtige reclamecampagnes op. De reclamekosten per paar schoenen (met inbegrip van het salaris van de sterren en de eigenlijke reclamecampagnes) zijn 4 dollar. Hierbij komt het werk van het personeel van Nike (administratie, vertegenwoordigers en anderen) en de kapitaaluitgaven van de firma, betaling van investeringen, opslagkosten en dividenduitkeringen. Het is ook niet overbodig hier te vermelden dat Nike geen bijzonder rendabele onderneming is. Het rendement van geïnvesteerd kapitaal bedroeg in 2001 10 %. Al met al is de groothandelsprijs van een paar schoenen, waarvoor Nike ze aan de tussenhandelaar verkoopt, opgelopen tot 23,50 dollar. Het verschil, een verdubbeling van de prijs, zit hem in de kosten voor de distributie die ervoor zorgt dat de schoenen uiteindelijk aan de voeten van de consument komen. Het verkooppersoneel moet worden betaald. Hierbij komt nog de huur van de verkoopruimten, de rentebetalingen over investeringen, de opslagkosten en de dividenden.

Het is derhalve mogelijk deze cijfers op de volgende manier samen te vatten. Voor een object als Air Pegasus van Nike geldt dat de productiekosten voor het fysieke object net zo hoog zijn als voor het sociale object. De reclame-uitgaven van Nike zijn net zo hoog als die voor de productie in Indonesië. Gezien deze cijfers kunnen we stellen dat we net zo goed het beeld, het concept kopen als het product zelf. En dan de derde laag van de piramide: het kost net zoveel de consument de schoen aan te trekken als het heeft gekost deze daadwerkelijk te fabriceren. Dit voorbeeld illustreert op een fascinerende manier de 'nieuwe economie-wereld', bestaande uit een 'immateriële' productie (het merk), ontwikkeld voor stad en wereld, en een materiële productie, de schoen, die van ver komt, en ten slotte voor een belangrijk deel – het belangrijkste deel zelfs – uit dienstverlening in de meest letterlijke zin: de consument moet thuis, in zijn buurt, het zo gemaakte product aantrekken.

De kritiek op de logo's, en meer in het algemeen op de met dit voorbeeld geïllustreerde nieuwe arbeidsverdeling, wordt vooral gevoed door de vraag in hoeverre dit niet een nieuwe valkuil is voor de arme landen. Als ze noch een scheppende, noch een consumerende rol spelen, welke plaats is er dan voor hen gereserveerd?

Worden ze door dit proces, dat hen zeker niet in staat stelt zich te industrialiseren zoals dat in de 19de eeuw gebeurd was, niet gedwongen tot de minder belangrijke taken, zonder toegevoegde waarde? Worden ze niet ver gehouden van de activiteiten die tegenwoordig voor welvaart zorgen?

Nieuwe economie

Om deze kwesties beter te begrijpen heeft het meer zin onderscheid te maken tussen 'oude' en 'nieuwe' economie dan te praten over een tegenstelling tussen dienstverlening en industrie. De nieuwe economie heeft zijn glorietijd gekend met de internetbel en de waanzin rond de dotcoms. Het concept heeft er zijn geloofwaardigheid gedeeltelijk mee verloren. Er is echter wel een belangrijke denkwijze ontstaan omtrent de vernieuwing die de postindustriële wereld brengt. Als kort moet worden samengevat wat deze term inhoudt, kunnen we stellen dat de nieuwe economie zich kenmerkt door een volkomen afwijkende kostenstructuur. De eerste producteenheid die wordt gefabriceerd, is duur, de daaropvolgende niet meer. Als de Windows-software eenmaal ontwikkeld is, kan deze net zo goed in één gehucht worden afgezet als in de hele wereld; het zal de totale productiekosten slechts minimaal verhogen. Dezelfde redenering gaat op voor audiovisuele producten: een film is duur om te maken, niet om te distribueren. Dit geldt eveneens voor de farmaceutische industrie waar het gaat om de ontwikkeling van het vaccin en niet om de productie ervan, en bovendien voor alle sectoren die zich bezighouden met design of het ontwerpen van producten in het algemeen.[20]

DeLong en Froomkin hebben aangetoond hoe het economische model van de nieuwe economie fundamenteel verschilt van het oude.[21] De oude economie is op een eenvoudig doch essentieel principe gebaseerd: de consument betaalt aan de producent voor de dienst die deze hem verleent. Dat is in de nieuwe economie nagenoeg nooit het geval. We kunnen hier als voorbeeld de televisie nemen. In tegenstelling tot de overheid, die kijkgeld int, factureert geen enkele commerciële zender het product dat ze de consument biedt. De zenders worden gefinancierd door reclame. De verkoopprijs is dus niet afhankelijk van het door de televisiezender aangeboden artikel, dat wil zeggen de programma's zelf, maar van een afgeleid product: de veronderstelde aandacht van de consument voor de reclame, hetgeen niets te maken heeft met het door hem gekozen programma. Bijgevolg zal de zender de consument niet in eerste instantie waar voor zijn geld willen geven, maar proberen hem het minimale te leveren dat nodig is om zijn aandacht gevangen te houden. Het voorbeeld is toepasbaar op alle zakelijke modellen die de nieuwe economie probeert te doen gedijen. Als alles gratis is, zoals tegenwoordig op het internet vaak het geval is, zal er toch iets in rekening moeten worden gebracht. Dat kan reclame zijn of het gebruiken van bepaalde informatie over voorkeuren van de consument, maar het is nooit het product zelf. Zoals DeLong en Froomkin opmerken, maakt het businessmodel van de nieuwe economie de 'weggeefeconomie' efficiënter dan de goederenhandel. Als voorbeeld nemen ze hier de Amerikaanse radiozender National Public Radio, die leeft van vrijwillige bijdragen van luisteraars. Om deze te verkrijgen moet het station de luisteraar lokken en overtuigen. Hier benaderen we meer het gewone streven van de markteconomie dan de publieke omroepen dat doen.

De klant te laten betalen voor een product dat van nature eigenlijk gratis is: dat is wat we de culturele tegenstrijdigheid van de nieuwe economie zouden kunnen noemen. De klanten van het internet willen niet betalen. Hoe moet iemand in deze omstandigheden de kost verdienen? Bij de uitvinding van de videorecorder sloeg de studio's in Hollywood allereerst de angst om het hart. Wat moesten ze doen als films gratis in omloop zouden komen? Tegenwoordig komt het grootste deel van hun winst echter uit verkoop en verhuur van videobanden en dvd's. Als een film, maar ook een lied of een chemische formule, eenmaal is geproduceerd, vraagt hij er als het ware om om vrij in omloop te worden gebracht. Wat de verdiensten ook moge zijn, de filmindustrie verbindt in feite twee volkomen verschillende producten: de film zelf en een techniek om deze in een zaal te vertonen. Een bioscoopzaal binnengaan is een standaard consumentenhandeling: ik betaal míjn stoel, en niet die van jou, om hier te mogen zitten. We blijven naar de bioscoop gaan om te genieten van megaschermen of voor een avondje uit met vrienden, zoals we ook in een restaurant gaan dineren ondanks de magnetron. Door de video wordt er een verschil gemaakt tussen de consumptie van een film en deze tweede component die de film de mogelijkheid biedt vrij te worden bekeken, nog eens bekeken en uitgeleend te worden aan buren of grootouders. Het product blijkt een nieuw economisch evenwicht te hebben gevonden dat dichter bij zijn oorspronkelijke aard staat.* Om rendabel te zijn moet de nieuwe economie

---

* Het probleem van cd's die via computers worden uitgewisseld is wat anders. Het product is gemakkelijk te kopiëren en te verspreiden, terwijl in het geval van de video een tweede recorder nodig was, het opnemen tijd kostte en er voor elke kopie opnieuw moest worden begonnen. Het kan zijn dat de platenindustrie gevolgen ondervindt van technologieën die kosteloosheid bevorderen. Zullen de muziek in het algemeen en de zangers in het bijzonder hier echter onder lijden? Allereerst moeten we hier vermelden dat artiesten maar een zeer klein deel van de totale opbrengst ontvangen. Deze is ongetwijfeld aanzienlijk vanwege de hoge kosten die echter juist door het internet omlaag worden gebracht. De muziekindustrie voert aan dat ze functioneert als filter, als promotor en dat zij zorgt voor bekendheid en introductie van de artiesten. Inderdaad zal niemand denken dat een ontmoeting tussen artiest

dus een 'nieuwe economie van de koper' ontwikkelen.* De perfecte markt, in de primitieve zin van de uniforme markt, doet nog lang zijn intrede niet, maar de nieuwe relatie tot de klant heeft alles in zich om deze klant aan zich te binden. Als de klant eenmaal is geabonneerd wordt hij de gevangene van de aanbieder, die talloze manieren zal ontwikkelen om hem vast te houden, door bijvoorbeeld programmapakketten aan te bieden die als eenheid dienen te worden afgenomen. Iemand koopt geen software van Microsoft, in feite abonneert hij zich op een hele serie producten. Het is onmogelijk wel voor Word te kiezen en niet voor Excel of Explorer, waardoor de rivalen de grootste moeite hebben hun producten compatibel te maken. We zijn hier wel heel ver verwijderd van de keuzevrijheid, het door Milton Freedman gepredikte 'free to choose'. De nieuwe economie van de ko-

en publiek via de media spontaan, zonder tussenpersoon kan plaatsvinden. Ook andere dragers zouden deze functie kunnen vervullen. Tijdschriften zouden misschien de belangrijke rol kunnen overnemen die de reclamecampagnes in het verleden hadden. Misschien worden concerten ook weer net als vroeger hét middel om artiesten te betalen, analoog aan wetenschappers van wie het werk gratis wordt verspreid en die de kost verdienen met het vervullen van andere taken als doceren, lezingen houden, jonge wetenschappers opleiden enzovoort.

* Toen de firma Sears & Roebuck, een pionier op het gebied van postorderverkoop, in de Verenigde Staten pas begon, gingen honderden bedrijven failliet omdat ze in één klap hun klanten verloren. De ironie wil dat verwacht wordt dat de eerste slachtoffers van internet nu de postorderbedrijven zijn. Deze hebben trouwens zelf ook niet aan alle in hen gestelde verwachtingen kunnen voldoen. Na de eerste euforie stabiliseerde hun marktaandeel al snel op ongeveer 10% van de totale verkoop, wat aanzienlijk is, maar toch nog - 90% van de markt aan de traditionele tussenhandel overlaat. Ter vergelijking, de on-lineverkoop is goed voor minder dan 1% van de totale verkoop. Bij het rechtstreekse zakendoen (de B2C, business to consumers) blijven de verwachtingen voor winstgroei zeer twijfelachtig.[22]

per neemt de vorm aan van een opeenhoping van informatie over de klant waardoor de ondernemer kan classificeren, de verwachtingen kan onderscheiden en zo de karakteristieken van de klant zo dicht mogelijk kan benaderen in een serie adequate producten (consumptiekredieten, diverse abonnementen enzovoort).

Een voorbeeld is de benaderingswijze van luchtvaartmaatschappijen, die een beleid instelden gebaseerd op tariefsegmentatie, *yield management*, wat inhoudt dat gedifferentieerde verkoopactiviteiten worden ontwikkeld per klantensector en aan klantenbinding wordt gedaan met behulp van hun *frequent flyers*-programma's en het *frequent buyers*-programma. Dit laatste omvat aanvullende aanbiedingen op basis van partnerships die uiteenlopen van bijvoorbeeld hotelketens en autoverhuurders tot telecommunicatieondernemers. Hier zijn we natuurlijk ver verwijderd van het zuivere marktmodel waarin alle kopers een eenheidsprijs wordt geboden. De investeringen die firma's als Amazon doen om een zo breed mogelijke klantenkring te creëren, aan zich te binden en erop in te spelen, zijn aanzienlijk, zowel wat technische investeringen betreft als logistieke – voor dit soort virtuele bedrijven dé zwakke schakel binnen de organisatie – of investeringen op reclamegebied.

Deze karakterisering van de nieuwe economie maakt duidelijk waarom dit model zich niet kan aanpassen aan wat de economen een stelsel van 'zuivere en perfecte concurrentie' noemen, waar nieuwkomers altijd welkom zijn. Als nieuwe software onmiddellijk zou moeten concurreren met aanverwante producten van dezelfde kwaliteit, dan zou een prijzenoorlog tussen producenten het onmogelijk maken de kosten te dekken die gemaakt zijn voor de ontwikkeling ervan. Om de onderzoeks- en ontwikkelingskosten te kunnen opbrengen die de kern van de activiteit zijn, moet een nieuwe economie-bedrijf absoluut kunnen profiteren van het vestigingsvoordeel. Technisch voordeel voor de een, commercieel voor de ander, dat maakt niet uit, want de sector kan niet competitief zijn in de gebruikelijke zin van het woord. De nieuwe economie confronteert de analisten dus met een verrassende paradox. De voorstanders ervan bejubelen het model meestal als een krachtige drager van competitiviteit. Niemand kan namelijk ontkennen dat met de komst van het internet, waardoor informatie overvloedig en goedkoop werd, de distributie veranderd en het vestigingsvoordeel is tenietgedaan voor degene wiens vak het was zeldzame informatie te verzamelen en te verspreiden. We kunnen hier denken aan grossiers of alleenvertegenwoordigers van een bepaald merkproduct maar ook aan financiële bemiddelaars. Als er in de toekomst al iets van hun marges overblijft, dan zijn deze in ieder geval kleiner.

De ironie wil echter dat de spelers op het veld van de nieuwe economie zelf elkaar niet minder beconcurreren. Of het nu om Microsoft of om AOL-Time-Warner gaat, nieuwe concerns tonen een schijnbaar onbedwingbare neiging hun hele markt te willen innemen. De nieuwe economie geeft geen toegang tot de geruststellende wereld van de zuivere en perfecte concurrentie, ze rukt ons er juist van los.

Het volgende voorbeeld is tekenend voor de aard van de teleurstellingen van mensen die meenden dat de nieuwe technologieën de concurrentiemogelijkheden zouden verruimen. Met de uitvinding van kabel en satelliet hebben honderden nieuwe televisiezenders hun intrede in de huiskamers gedaan. Het viel te verwachten dat de potentiële diversiteit van het aanbod de positie van de bestaande zenders zou verpletteren. Maar wat zagen we in Frankrijk gebeuren? TF1 – het eerste net van de Franse publieke omroep – heeft gemiddeld een derde deel van de markt in handen. Antenne 2 – het tweede Franse publieke net – een derde deel van

het overblijvende segment (ofwel 21% van het totaal), la Trois –
het derde net – neemt een derde van de overblijvende markt in,
ofwel 15%; la 6 – het zesde net – is een uitzondering op deze regel, maar voordat dit net naar de top zou stijgen, voldeed het eerst
wel aan de wet die zich hier begint af te tekenen: 6%, ofwel een
derde van het overblijvende segment. Het klopt dat de kabel dit
– bijna – monopolie van het eerste net doorbreekt. In plaats van
een of twee spelers zijn het er nu drie of vier. We hebben echter
nog lang niet de oneindige diversiteit bereikt die de eerste prog-
noses ons hadden beloofd. De kabel heeft effect gehad op het gebied van het zeer kleinschalige. De operaliefhebber kan genieten
van drie muziekkanalen, we kunnen live modeshows meemaken
of *in real time* het weerbericht zien. Het zijn zaken die bijna niets
kosten maar door relatief weinig mensen worden bekeken.

Hoe valt een dergelijke uniformiteit te verklaren? Waarom
heeft het diverse aanbod zijn publiek niet gevonden? Het antwoord van economen, met name sinds de vernieuwende werken
van John Sutton,[23] luidt als volgt. Door het 'exogene' effect van
de daling van de uitzendkosten, wat a priori gunstig is voor de concurrentie en de diversiteit van de programma's, zijn de 'endogene' kosten als uitzendrechten voor grote sportevenementen let-
terlijk geëxplodeerd. Waar de techniek kostendaling mogelijk
maakt, werpen de marktkrachten onmiddellijk nieuwe drempels
op. In grote lijnen komt het erop neer dat TF1 zijn monopolie behoudt omdat de zender als enige in staat is het honorarium van
Zidane te betalen, die de voornaamste begunstigde wordt van de
kabel- en satelliettelevisie. Zo produceert Hollywood tegenwoordig steeds duurdere spektakelfilms om de concurrenten op afstand
te houden die dankzij de democratisering van de technieken toegang kunnen krijgen tot de filmwereld.

We moeten nog wel op een belangrijk punt wijzen. De nieuwe economie mag dan wel op endogene wijze de grenzen herstellen die door de techniek zijn weggenomen, de bijzondere structuur hiervan blijft bestaan, namelijk dat alleen de eerste eenheid duur is om te produceren en de volgende niets kosten. Als een film eenmaal klaar is, kan deze zo vaak worden uitgezonden als men maar wil. Als het salaris van de sterren en de kosten van de stunts eenmaal zijn betaald, kan de film overal worden vertoond, net zo goed in een zaal van een buitenwijk van Cairo als in Beverly Hills. Een Rolls-Royce daarentegen kan niet aan de hele wereld worden verkocht; elk exemplaar apart kost te veel om te produceren en is dus voor alle stervelingen te duur om te kopen. De kosten van een film kunnen echter plaatselijk worden vastgesteld afhankelijk van ieders koopkracht, hoe gering deze ook mag zijn. Het imperialisme van Hollywood heeft geen andere bronnen van inkomsten. Het toont de wereld zoveel Rollsen als men wil, maar niemand of bijna niemand zal die kunnen kopen.

CENTRUM EN PERIFERIE

Schaapvaart met karvelen en vervolgens spoorwegen en stoomboten hebben de eerste en de tweede verovering van de wereld mogelijk gemaakt. Het internet en de nieuwe economie met de informatie- en communicatietechnologieën zorgen nu voor het begin van wat we een 'nieuwe economie-wereld' zouden kunnen noemen. Het begrip economie-wereld komt oorspronkelijk van Fernand Braudel en is vervolgens door Immanuel Wallerstein overgenomen en verder uitgewerkt. Braudel legt uit dat er altijd economie-werelden hebben bestaan: 'Het oude Fenicië, Carthago in zijn grote bloeitijd. Ook de Helleense wereld. Misschien zelfs Rome [...]. Evenals China dat zich al zeer snel meester maakt van grote aangrenzende gebieden die het land afhankelijk van zich maakt: Korea, Japan, Insulinde, Vietnam, Yunnan, Tibet en Mongolië. Nog verder terug in de geschiedenis verandert India de Indische Oceaan in een soort binnenzee vanaf de Oost-Afrikaanse kust tot aan de Indonesische archipel.'[24] Volgens hem is een economie-wereld een duidelijk afgebakende geografische ruimte rond een centrum, vaak een stad: Venetië, Antwerpen, Amsterdam of Londen, soms naar voorbeeld van de Helleense steden die openstaan voor het platteland dat er zijn overschotten komt verkopen, en die zich aan de buitenwereld manifesteren via de imperialistische zucht om anderen te onderwerpen en zo de continuïteit van de handel te garanderen, zoals Venetië dat alles importeert, 'zelfs het water...'. Ook een nieuw type stad, de middeleeuwse stad, omsloten door stadsmuren en met veel nijverheid, zoals Luik en Antwerpen, waar de torenklok luidt als het tijd wordt om te gaan werken, eten of slapen.

Als het ene type centrum het andere opvolgt, betekent dat een 'enorme omwenteling in de geschiedenis'. Toename van het aantal centra is in de ogen van Braudel een kenmerk van jeugd, de strijd om de macht is dan nog niet gestreden, of een vorm van degeneratie, indien het oude centrum merkt dat zijn autoriteit wordt betwist. Als een centrum eenmaal is bepaald, zien we de economie-wereld zich hier ontwikkelen als een serie concentrische cirkels waarin de welvaart naar buiten toe steeds verder afneemt. Altijd en overal heeft het centrum een duur bestaan, gedrang en vervuiling betekend. De periferie staat daarentegen voor goedkoper leven en een lager tempo. 'De kleine cirkel van deze duizenden kleine eenheden waar de geschiedenis traag voortkabbelt, het ene bestaan het andere opvolgt, allemaal eender, generatie na generatie...' De 'landstreek' is tienmaal zoveel waard als het kanton; de provincie tienmaal zoveel als de 'landstreek'. 'Gemeten naar de snelheid van het vervoer in die tijd is het Bourgondië van

Lodewijk II alleen al honderden malen groter dan het Frankrijk van nu.' Braudel vestigt de aandacht op deze provinciale eenheden, die net zo goed economie-werelden op kleine schaal zijn, met als centrum steden als Dijon, Grenoble of Bordeaux, die soms rivaliseren met een andere stad, zoals in Normandië Rouen en Caen, in de Champagne Reims en Troyes, in Lotharingen Nancy en Metz enzovoort. In de concentrische cirkels om het centrum bestaat een coëxistentie, zo zegt Braudel, van diverse productiemethoden. De gedachte van Marx dat de productiemethoden elkaar in de loop der geschiedenis opvolgen, moet volgens hem 'worden herzien'. Op elk moment van de geschiedenis treffen we een mengvorm aan van transformaties uit de Oudheid, het feodale stelsel en de eerste landbouwsamenlevingen.

De paradox van de afstanden

Fernand Braudel haalt het reisverslag aan van een Hongaarse predikant die in 1618 terugkomt in zijn land en die het tijdens zijn omzwervingen is opgevallen dat de broodprijs met een zekere regelmaat daalt naarmate hij zich verder van Londen verwijdert. Als men nu zo'n reis zou maken, zou men tot dezelfde conclusie komen. Vertrekkend vanuit Parijs richting Spanje en Portugal zien we inderdaad een geleidelijke daling van de salarissen. Als we naar het oosten gaan, merken we zodra we door Oostenrijk komen een vergelijkbare loondaling, die evenredig is met de afstand tot het centrum. Volgens een berekening van Tony Venables[25] kan zeker de helft van de interregionale en internationale salarisverschillen uitsluitend verklaard worden door geografische variabelen en de afstand ten opzichte van de wereldsteden. Er bestaan wel enkele 'afwijkingen', zoals Australië, Nieuw-Zeeland, Japan, de Verenigde Staten, Singapore en Hongkong, waar afstand alleen niet voldoende is om de rijkdom te verklaren. Deze uitzonderingen laten zien dat de 'tirannie van de afstand' (titel van een beroemd boek over Australië) niet absoluut is. Maar toch. Ondanks de enorme daling van de 'afstandskosten' die al twee eeuwen aan de gang is, blijft de economische geografie van de wereld tegenwoordig verbazingwekkend in de buurt van de geografie zonder meer.

De economen die zich over deze gegevens hebben gebogen, zijn tot een uitspraak gekomen die verbazingwekkend paradoxaal lijkt: in plaats van een verdere verspreiding van het economische leven over de ruimte, lijkt de afname van transportkosten bevolking en rijkdom juist te doen samenvallen. De algemene daling van transportkosten die de afgelopen twee eeuwen is veroorzaakt door de spoorwegen, de auto en de telefoon, heeft op geen enkele manier tot verspreiding van rijkdom geleid. Aan het begin van de 19de eeuw bestaat Frankrijk nog uit talloze productieplaatsen van geringe omvang en verdeeld over het hele grondgebied.[26] Met de transportrevolutie zien we een enorme ruimtelijke polarisatie ontstaan. De 'désert français' – de ontvolkte gebieden op het Franse platteland –, als schandalig wordt afgeschilderd, is in feite de illustratie van een regel die universeel lijkt te zijn: de reductie van transportkosten draagt niet bij aan de verspreiding van de bevolking over het grondgebied, maar zorgt juist voor concentratie van de mensen. Dorpen en stadjes verdwijnen ten gunste van grote steden. De middelpuntzoekende krachten die aanzetten tot concentratie lijken veel sterker te zijn dan de tegengestelde krachten die leiden tot verspreiding.

De telefoon is een goed voorbeeld van deze paradoxale effecten. Dit toestel is een belangrijk hulpmiddel geweest bij de urbanisatie van de wereld.[27] Naarmate steden zich namelijk verder ontwikkelen, heeft ook de afstand tussen twee personen die er wonen de neiging te groeien. Dankzij de telefoon kan dit nadeel worden opgeheven, terwijl de mogelijkheid blijft bestaan elkaar fysiek te treffen als de omstandigheden dat vereisen (een diner met vrienden of een belangrijke vergadering). Hoewel de telefoon dus zeker de verspreiding van activiteiten over het hele grondgebied niet heeft bevorderd, heeft hij wel de uitbreiding van agglomeraties mogelijk gemaakt.

De daling van de afstandskosten lijkt de bestaande polariteit tussen een centrum en zijn periferie dan ook eerder te versterken dan te verzwakken. De verklaring van deze paradox vloeit voort uit een herinterpretatie van de aard van de handel, als eerder in dit werk beschreven, die in de analyse de schaalvoordelen centraal stelt. Stel dat twee gebieden die van tevoren geïsoleerd waren plotseling door een spoorweg met elkaar worden verbonden. Het meest ontwikkelde gebied zal dan het grootste marktaandeel van deze groeiende markt veroveren door schaalvoordeel te realiseren. Dezelfde krachten die het mogelijk maakten dat de bakker van dorp A de markt van bakker B overnam, zijn ook hier werkzaam. Dankzij de daling van de transportkosten wordt het immers mogelijk goederen te leveren op verafgelegen plaatsen zonder verplicht te zijn ze ter plekke te produceren. Als het tweede gebied niet voldoende in staat is hierop te reageren, wordt het al snel gedwongen tot primaire activiteiten, waarbij het voordeel van de grootte niet of nauwelijks telt.

Als er vervolgens een migratie op gang komt waardoor uit gebied B de beste elementen geleidelijk wegtrekken, wordt de ontwikkeling onomkeerbaar. Omdat de arbeiders naar de welvarende streek trekken, is het voor bedrijven eenvoudiger daar mensen te werven en voor werknemers om er een baan te vinden. Kennis en maatschappelijk gebruik van bestaande technieken worden zo sneller verbreid. De nadelen van al deze activiteiten op één plaats – drukte, vervuiling en hoge huren – lijken niet op te wegen te-

gen de voordelen die een stedelijke agglomeratie met zich meebrengt. Als er een TGV-verbinding komt tussen twee steden, zal
de minst bevolkte van de twee er de gevolgen van ondervinden.
Ofschoon de verschillen tussen landen in Europa in het algemeen
afnemen, worden de regionale ongelijkheden al twintig jaar niet
kleiner meer.

Overeenkomstig het model van Braudel is de welvarende
streek in staat hogere lonen op te brengen dan de arme streek. De
eerste profiteert van bovenstroomse verbindingen die het een bedrijf mogelijk maken met andere producenten één arbeidsmarkt
of een aantal toeleveranciers te delen; dit is wat Albert Hirsch-
man 'backward linkages' heeft genoemd. Deze streek haalt eveneens voordeel uit 'foreward linkages', benedenstroomse verbindingen die tot stand kunnen worden gebracht omdat de consumenten niet ver zijn en hun voorkeuren bekend zijn. Het model
dat zich aftekent, is dat van een veelzijdig, bloeiend hart met aangrenzende gebieden die zeer sterk gespecialiseerd en arm zijn.
Hier vinden we de door Jared Diamond geschetste problematiek
terug en kan het centrum worden gedefinieerd als een plek met
een hoge dichtheid. In tegenstelling tot de theorie van Ricardo
volgens welke het goed is zich op één vakgebied te specialiseren,
verschijnt hier een gedachte die daar lijnrecht tegenover staat.
Wat goed is voor een individu, is nog niet goed voor een streek
of een land. Een computergebruiker moet op de service van een
computerfabrikant in de buurt kunnen rekenen. Iemand die zich
op de arbeidsmarkt beweegt, wil graag profiteren van een geva-
rieerd aanbod. Het is het voorrecht van het centrum een dergelijke reeks keuzemogelijkheden te bezitten, terwijl de periferie gedoemd is hiervan verstoken te blijven.

Dezelfde redenering van polarisatie tussen centrum en periferie is van toepassing op de stedelijke agglomeraties. Sinds het Ro-

meinse rijk doen een arbeider, een ambachtsman en een boer er al even lang over om van hun huis naar hun werk te gaan. Met de metro – dankzij durf ik niet te schrijven – zijn arbeiders dezelfde reistijd verwijderd van het stadscentrum. Arbeiderswijken liggen tegenwoordig zo ver van het centrum dat ze nooit meer door de stad zullen worden bereikt, terwijl buitenwijken vroeger achter elkaar werden opgeslokt door de groeiende stad. Inwoners van buitenwijken kunnen met de metro op zaterdagavond naar het stadscentrum om naar de bioscoop of uit eten te gaan. Metrostations bij Les Halles en aan de Champs-Elysées in Parijs zijn voor de duur van het weekend filialen van de voorsteden waarmee ze zijn verbonden. Dit betekent aan de andere kant dat deze voorsteden nooit echt volwaardige steden zullen worden waar zich een 'normale' openbare ruimte ontwikkelt. Het zijn slaapsteden; het stadsleven speelt zich elders af.

ZARA OF BARBIE

De onderverdeling in centrum en periferie speelt ook in de zakelijke sector. Als we de financiële dienstverlening als voorbeeld nemen, zien we dat er *back offices* en *front offices* zijn die lange tijd gezamenlijk waren ondergebracht in de hoofdkantoren van de grote banken. Gevestigd in Londen of New York worden de front offices gekenmerkt door een bijzonder sterke personeelsconcentratie met een hoge toegevoegde waarde en topsalarissen. Dankzij het internet kunnen de back offices overal naartoe worden verplaatst. Zo doen Amerikaanse telefoonbedrijven een beroep op de Filippijnen om ook 's nachts service te kunnen leveren: dankzij het tijdverschil kunnen ze 24 uur per dag klantenservice bieden. De Filippijnse callcenters kunnen telefonisch inlichtingen verstrekken, doktersrecepten voor ziekenhuizen en zorgcentra uitschrijven en dergelijke. Dankzij het verschil in tijdzone kunnen artsen hun medische rapporten 's avonds achterlaten en vinden ze deze de ochtend erna uitgetypt terug.[28] De artsen blijven in New York terwijl de secretaresses zich in Bombay kunnen bevinden. De tweedeling centrum-periferie snijdt dwars door het hart van het productieproces.

De komst van het internet geeft echter voedsel aan een wat subtielere dialectiek. Dankzij de informatiemaatschappij is immers een flexibelere productie – *just in time* en *on demand* – mogelijk.* De informatierevolutie is vooral een revolutie op het gebied van werkorganisatie met als doelstellingen aanpassen aan de vraag en snel kunnen reageren. Het gaat er nu niet meer om eerst te produceren en vervolgens te verkopen, maar juist om een con-

---

* Deze nieuwe productiemethoden zijn overigens niet door de informatierevolutie ontwikkeld; voor een deel worden hier de methoden overgenomen waarmee in Japan in de jaren zestig is geëxperimenteerd en die men associeert met het 'toyotisme'. Dankzij de informatica kan het gebruik ervan echter worden geradicaliseerd en dit schept nieuwe toepassingsmogelijkheden waarbinnen het idee wordt ontwikkeld een 'netwerk te bouwen' van complexe productie-eenheden binnen en buiten het bedrijf (de massale outsourcing in de richting van toeleveranciers speelt hierin een aanzienlijke rol). Philippe Askenazy toont aan dat informatica in feite alleen maar nut heeft indien deze reorganisatie van het werk inderdaad heeft plaatsgevonden. Uitgaande van afzonderlijke gegevens van Amerikaanse bedrijven stelt hij allereerst vast dat informatisering van de bedrijven waarbij de overige omstandigheden gelijk blijven, geen meetbaar effect heeft op de productiviteit van de onderneming. In volgens de methode van de *lean production* 'gereorganiseerde' ondernemingen laten deze berekeningen zien dat de informatica de groei van de totale productiviteit doet stijgen met een factor van gemiddeld ongeveer 1 % per jaar, terwijl bij andere ondernemingen een daling plaatsvindt. Met andere woorden, informatiseren is een nutteloos en duur speeltje voor ondernemingen die hun organisatorische methoden niet hebben herzien en is daarentegen een kostbaar instrument voor opwaardering van die methoden voor bedrijven die dat wel hebben gedaan.[29]

stante wisselwerking tussen productie en consumptie, waarbij de klant in feite het startsein geeft voor de productie. Het voorbeeld van Zara laat goed zien wat hier speelt. De oprichter van deze modeketen, Armancio Ortega, was een van de pioniers op het gebied van gebruik van nieuwe technologieën in de textielsector. Terwijl Gap het gebruikelijke model van vier series per jaar hanteert, kent de winkelvoorraad van Zara een veel grotere omloopsnelheid en wordt de voorraad om de twee weken vernieuwd. De tijd tussen ontwerp en uitvoering is bij Zara vijf weken, terwijl dit bij Gap negen maanden is. Zara heeft het gepresteerd een leger van 200 ontwerpers bijeen te brengen die 12 000 verschillende ontwerpen per jaar produceren. Het basisidee is inspelen op het ongeduld van de consument. Als een product hem bevalt, moet de consument het meteen kopen, want anders loopt hij het risico dat het er niet meer is. Zara speelt *in real time* in op de mode en de smaak van de consumenten op basis van verkoopcijfers. Deze worden meteen doorgegeven aan de ultramoderne fabriek in Spaans Galicië. Als blauw niet verkoopt, wordt voor rood gekozen. Zara heeft wel voorraden maar slechts van onbewerkte textielproducten, geen kleding in de strikte zin van het woord. De winkels worden, met uitzondering van de boetieks in New York, per vrachtwagen bevoorraad.

Zara geeft op een originele manier gestalte aan het combineren van de voordelen zich dicht bij het centrum te bevinden, dicht bij de uiteindelijke consument, met het kunnen rekenen op relatief goedkope arbeidskrachten. Hij heeft zijn fabrieken gevestigd in een nog perifere zone van Europa, Galicië, die echter ook dichtbij genoeg om zich op niet al te grote afstand van de winkels te bevinden. Dit voortdurende dilemma tussen vestiging vlak bij het centrum, waar het leven duur is, en productie in de periferie, waar alles goedkoper is, zorgt voor een constante spanning binnen de handelswereld. In de 18de eeuw al beconcurreerde het platteland de stad via wat men de proto-industrialisering heeft genoemd, om de duurte van de steden en de macht van de vakgenootschappen – de gildes, die het monopolie bezaten op de uitoefening van het betreffende ambacht – te omzeilen. Tot hoever kan men zich verwijderen om de voordelen van de flexibiliteit te behouden en het nadeel van de hoge kosten te vermijden? Zara heeft een middenweg gekozen, maar er zijn talloze mogelijkheden.

De multinationals twijfelen zelf tussen twee modellen. Ze hebben lang geprobeerd zich in de buurt van een veelbelovende markt te vestigen.[*] McDonald's vestigt zich niet in Frankrijk om zijn producten te verkopen (die worden ter plekke geproduceerd), maar zijn merk en zijn knowhow. Het zijn de consumenten in het vestigingsland waarin de multinationals hoofdzakelijk geïnteresseerd zijn. Decennialang kwamen de directe investeringen van de rijke landen in het buitenland voornamelijk ten goede aan deze landen zelf. Dat is nu nog zo, al is China nu het meest ontvangende land. Zo zijn de directe investeringen in een land des te sterker als dat land zijn tariefmuren heeft verhoogd: lokale investeringen zijn een middel om de tariefmuren te omzeilen en de klant toch te bereiken. Zo hebben de Japanse autofabrikanten in het begin van de jaren tachtig hun investeringen in de Verenigde Staten verdubbeld om weerstand te bieden tegen de protectionistische instelling van de Amerikanen.

---

[*] De activiteiten van Amerikaanse multinationale ondernemingen illustreren de werking van dit tweeledige proces (Hanson e.a., NBER, nr. 8433, augustus 2001). Ze realiseren wereldwijd een omzet van 21 biljoen dollar. Ze hebben 7 miljoen mensen in dienst. Zij zijn de angstaanjagende *big power*. De activiteit van de multinationale ondernemingen vormt hét beeld van de wereldhandel, waaraan ze trouwens de grootste bijdrage leveren; 77% van de door hen gerealiseerde verkoop ging in 1998 naar OESO-landen.

Deze gang van zaken gaat in het midden van de jaren tachtig nog op, maar sindsdien evolueert de situatie voortdurend. Multinationals vestigen zich nu in landen waar de douanetarieven laag zijn, om deze landen te gebruiken als platform voor wederuitvoer. In Oost-Azië wordt gemiddeld de helft van de productie wederuitgevoerd, hoofdzakelijk naar andere Aziatische landen en via een steeds subtielere productieketen, waarna het eindproduct naar de Verenigde Staten wordt verzonden. De beroemde barbiepop is een verbazingwekkend voorbeeld van wat de 'verticale desintegratie' van het productieproces wordt genoemd. De grondstoffen, de kunststof en de haren komen uit Taiwan en Japan; in de Filippijnen worden de poppen in elkaar gezet voordat ze naar landen als Indonesië en China worden getransporteerd, waar de lonen nog lager zijn. De mallen komen uit de Verenigde Staten net als het laatste likje verf voordat de pop wordt verkocht.[*] In tegenstelling tot Zara, waar productie en consumptie geïntegreerd zijn, voert Barbie het streven naar de laagste kostprijs tot in het uiterste door met een vrijwel volledig uitbesteden aan toeleveranciers.[**]

[*] In 1925 realiseerden de Verenigde Staten nog 90 % van hun import in twee sectoren: producten voor de voedermiddelsector en grondstoffen voor de industriële sector. De import van halffabrikaten voor de auto-industrie kwam bijvoorbeeld niet uit boven de 0,02 % van de totale import. De import van kapitaalgoederen overschreed in het algemeen niet het niveau van 0,4 % van de totale import. In 1995 bestaat het grootste deel van de Amerikaanse import uit tussenproducten voor industriële bedrijven. Frankrijk, Duitsland en het Verenigd Koninkrijk importeren tegenwoordig meer dan de helft van de tussenproducten. Dit proces duidt op een nieuwe 'verticale specialisatie' die de plaats inneemt van de 'horizontale specialisatie' van het voorbeeld met het stokbrood en de luxebroodjes.

[**] Voor alle industrieën samen blijft het aandeel in de wederuitvoer van multinationals stabiel op 34,5 %. Voor de fabrieksindustrie loopt dit cijfer echter op van 34 tot 44 %; het neemt daarentegen voor de dienstverlening af van 41 %

Niets laat echter beter de twee verlokkingen van de mondialisering – heel ver en zeer goedkoop produceren, of dichterbij en
duurder – beter zien dan de onderhuidse rivaliteit tussen Mexico en China. Het vrijhandelsakkoord dat in 1994 is ondertekend,
wees Mexico aan als officiële toeleverancier van de Verenigde Staten. Sinds dit akkoord is Mexico in feite een platform voor her-
uitvoer geworden via de zogenoemde *maquiladoras* (assemblage-
fabrieken). Terwijl in 1982 slechts 10 % van de productie van in
Mexico gevestigde Amerikaanse bedrijven werd heruitgevoerd
naar de Verenigde Staten, is dat nu 40 %. De door Amerikanen
gecreëerde werkgelegenheid bevindt zich tegenwoordig hoofdzakelijk aan de grens met de Verenigde Staten terwijl ze zich in
de jaren tachtig voornamelijk concentreerde rond Mexico-Stad.

tot 34,5 %. Er bestaat een licht verschil tussen de verdeling van afzet en werkgelegenheid: 65 % van de werknemers woont in OESO-landen, terwijl hier 77 %
van de afzet plaatsvindt. De activiteit buiten de OESO heeft in de loop van de
laatste twee decennia een kentering doorgemaakt. 15 % in Latijns-Amerika
en 6 % in Azië in 1982. Tegenwoordig spelen beide gebieden ongeveer quit-
te: 11 % in Latijns-Amerika en 10 % in Azië, waar het groeipercentage spectaculair is geweest – de verkoopcijfers liggen nu 2,5 maal zo hoog en de werk-
gelegenheidcijfers 2 maal zo hoog. Terwijl de totale werkgelegenheid bij de
multinationals slechts met 25 % toenam, werd zij in Azië tussen 1989 en 1998
verdubbeld. In China bedroeg de stijging 53 % per jaar. Kunnen we uit deze
Chinese of Aziatische vooruitgang een wetmatigheid halen betreffende de
directe investeringen: vestiging in de buurt van een groeimarkt, of gaat het
hier om een beslissing die we eerder toe moeten schrijven aan het proces van
verticale desintegratie? De multinationals zetten immers 20 % af binnen handel en distributie (tegen 15 % in 1980). Alleen al dit cijfer illustreert het belang
van de handel in merken en producten op zich. In de Europese OESO-landen
wijst alles erop dat de activiteit van de multinationals bij het oude blijft. Het
exportaandeel van dochterondernemingen is in de afgelopen twee decennia
stabiel gebleven: ongeveer een derde van de productie wordt wederuitgevoerd
naar andere (Europese) landen.

Volgens wat we het Zara-model zouden kunnen noemen, importeren de Amerikaanse multinationals tegenwoordig 30% van hun behoeften van hun Mexicaanse of Canadese dochters. China, dat op grotere afstand ligt maar veel goedkoper is, heeft een soortgelijke ontwikkeling doorgemaakt. In het begin van de jaren tachtig exporteerden de in China gevestigde multinationals slechts 20% van hun productie. Dit cijfer is sindsdien verdubbeld.*

Het huidige debat in Mexico spitst zich volledig toe op de vraag in hoeverre China zich voorbereidt Mexico te verdringen van de zo moeizaam bereikte positie. Ondanks de geografische nabijheid die ervoor zorgt dat het op 24 uur per vrachtwagen van zijn klanten ligt, voelt Mexico zich bedreigd. Het vreest dat de oostkust van China de 'fabriek van de wereld' wordt, of in ieder geval die van de Verenigde Staten. We hebben hier te maken met een voorbeeld van agglomeratiekrachten in een land in het Zuiden. China is namelijk zelf op weg een nieuwe dualiteit centrum-periferie te scheppen tussen de oostkust en de ongeveer 800 miljoen arme boeren. De ongelijkheid tussen de twee groepen is in de afgelopen twintig jaar vrijwel verdubbeld (van 1 op 2 naar 1 op 4). De interne spanningen in het Zuiden beloven hier net zo hevig te worden als die tussen Noord en Zuid.

De les die Mexico op dit moment krijgt, is eenvoudig en loopt vooruit op wat China wellicht ooit ook zal overkomen. Een land kan zijn streven naar welvaart niet slechts baseren op de internationale arbeidsverdeling. Net zo min als vroeger de industrialisering van de rijke landen verantwoordelijk was voor de armoede van de derde wereld, zal deïndustrialisering van de rijke landen

---

* In India ligt dit cijfer veel lager, juist vanwege de douanetarieven, die blijkbaar ontmoedigend blijven.

op zich niet voldoende zijn om voor welvaart van de arme te zorgen. Om zich te kunnen ontwikkelen moet een land op zijn beurt een centrum worden, dat wil zeggen een gebied met een hoge dichtheid aan bedrijvigheid en bevolking. Omdat de nieuwe economie de illusie schept van een wereld zonder grenzen, ontstaat ook de verwachting dat de Noord-Zuidbreuk hersteld gaat worden. Een verlaging van de afstandskosten zorgt er echter op zich niet voor dat mensen of rijkdommen zullen worden bijeengebracht. Eerder zal de tegenstelling tussen centrum en periferie erdoor worden aangescherpt, op dezelfde manier als tussen een stadscentrum en zijn buitenwijken. In tegenstelling echter tot Braudels model waar in de periferie 'de geschiedenis in een lager tempo voortkabbelt', illustreert het leven in de buitenwijken de vernieuwing van de nieuwe economie-wereld. Dankzij metro en bioscoop hebben de buitenwijken van Parijs, Cairo, Mexico of China de blik op de wereld gericht. Door die wereld worden ze echter genegeerd.

HOOFDSTUK IV

Botsende beschavingen?

BOTSENDE BEVOLKINGEN

Volgens ramingen van de Verenigde Naties zal de wereld in 2050 negen miljard mensen tellen, tegen ruim zes miljard op dit moment. De helft van deze bevolkingstoename zal volgens de voorspellingen plaatsvinden in zes landen, te weten in India 21%, China 12 %, Pakistan 5%, Bangladesh en Nigeria elk 4%. De Verenigde Staten zijn, met een stijging van 4% het enige rijke land dat zich bij deze groep voegt. India en China zullen met zijn tweeën meer dan een derde van de wereldbevolking uitmaken. Het enige continent waarvan het (absolute) aantal inwoners zal afnemen is het onze: er zullen dan 630 miljoen Europeanen zijn, tegen 730 miljoen op dit moment.* In de loop van de komende vijftig jaar zal 90% van de nieuwe inwoners uit een arm land afkomstig zijn. Het aantal Afrikanen zal tot 2050 verdubbelen, ondanks een deplorabele gezondheidssituatie en de gevolgen van aids. Er zullen 1,8 miljard Afrikanen zijn tegen 850 miljoen nu.

Voor ons, westerlingen, lijkt de enige mogelijkheid een ontwikkelingsmodel waarbij een overgang plaatsvindt van een hoog naar een laag vruchtbaarheidscijfer. De economische ontwikkeling zoals die ons voor ogen staat, verkeert in een stadium waarin het inkomen van de mensen stijgt, niet hun aantal. Deze omslag omvat twee essentiële veranderingen: een met betrekking tot mensen in het algemeen en een tot vrouwen in het bijzonder. De

---

* Het inwonertal van de Europese Unie zal van 380 miljoen naar 370 miljoen gaan.

zorg op het gebied van gezondheid en onderwijs is de eerste factor die de wens doet ontstaan naar een overgang van 'kwantiteit' naar 'kwaliteit' van leven, om de met opzet provocerende formulering van econoom Gary Becker over te nemen. De plaats van de vrouw in de samenleving is een van de voornaamste variabelen op basis waarvan deze verandering rechtstreeks wordt gemeten. Amartya Sen heeft de economen gewezen op wat hij de 'ontbrekende vrouwen'[30] noemt. Uit de bevolkingsstatistieken van arme landen blijkt dat er een onrustbarend tekort aan vrouwen bestaat, een duidelijk teken van het geweld dat tegen hen wordt gebruikt en dat ontegenzeglijk in verband staat met het hoge vruchtbaarheidscijfer, waardoor de positie van de vrouw word beperkt tot voortplantingsmiddel.

Weinig discussies zijn zo fel als die over de kwestie van wat de 'demografische overgang' wordt genoemd, de ontwikkeling die een bevolking doormaakt van het ene vruchtbaarheidsmodel naar het andere. En er is weinig veranderd sinds de ontnuchterende conclusie van de Verenigde Naties, overgenomen door Paul Bairoch, dat 'het empirisch en vergelijkend onderzoek naar de interactie tussen demografische en economische groei een van de terreinen blijft die het minst helder zijn op het gebied van de relatie tussen demografie en economie'.[31] De economen gaan elkaar haast te lijf bij hun pogingen erachter te komen wat hier oorzaak en wat gevolg is. Veroorzaakt de demografie de armoede, omdat de landen hun hulpbronnen uitputten om een uit haar voegen barstende bevolking te voeden (ondanks de uitspraak van voorzitter Mao: een mens meer betekent een extra mond om te voeden maar twee extra handen om te werken)? Of is het de armoede die de bevolkingsexplosie veroorzaakt, omdat de enige activa die arme gezinnen kunnen voortbrengen, hun eigen kinderen zijn, die hen kunnen beschermen tegen de spelingen van het lot?

De discussie is uiteraard van groot belang, maar het resultaat ervan hangt niet af van het antwoord dat op deze vraag wordt gegeven. Tenslotte is de bevolkingsgroei juist in de armste regio's het sterkst. Wat ook de reden mag zijn, bij elke bevolkingssamenstelling heeft altijd het armste deel de neiging te groeien.

Bij de vraag wat nu oorzaak en gevolg zijn van de zaken die hier spelen, kunnen de stelling dat de bevolkingsexplosie de groei om zeep helpt of de gedachte dat er helemaal geen verband bestaat tussen de twee gemakkelijk in het belachelijke worden getrokken. De 'optimisten' laten zich te eenvoudig geruststellen, en de 'alarmisten' maken zich te snel ongerust. Tegen de laatste groep kan allereerst worden ingebracht dat de statistische mondiale relaties geen significant verband laten zien tussen demografische groei en inkomen per hoofd.[32] Het idee dat een sterke demografische groei altijd synoniem is met armoede, gaat niet op. In Azië, dat van de hele wereld de sterkste inkomensstijging per inwoner kent, is de demografische groei ook een van de snelste. Onder de landen met voornamelijk middeninkomens zijn landen te vinden als Argentinië, waar beide cijfers tegelijk dalen, maar ook Botswana, waar ze juist tegelijk stijgen. In de industrielanden, ten slotte, zijn demografische groei en groei zonder meer de afgelopen dertig jaar gedaald.

Toch is het moeilijk om Bairoch niet te volgen als hij opmerkt hoezeer de verpaupering van de derdewereldsteden in verband staat met de ongekende bevolkingsexplosie die ermee gepaard is gegaan.[33] Tussen 1950 en 1990 is het aantal stadsbewoners in de derde wereld tweemaal zo snel gegroeid als in de rijke landen ten tijde van hun maximale groei. De sloppenwijken hebben zich snel uitgebreid. In 1980 woonde 40 % van de stadsbevolking van de derde wereld er. Volgens de Verenigde Naties zullen de derdewereldsteden van 2,8 miljard inwoners in 1990 groeien naar 5,8 miljard in 2025. Voor het platteland zijn de cijfers niet minder verontrustend: de bevolking van het platteland is in een even indrukwekkend tempo gegroeid, 'waardoor de al ongunstige verhouding tussen de beschikbare grond en de bevolking nog verder verslechterde'. Al tegen 1950 beschikte de landarbeider in een arm land slechts over ongeveer 2,4 hectare landbouwgrond, terwijl het historische minimum in Europa op 3,6 hectare ligt. In de Verenigde Staten ligt dit cijfer op 14,6 hectare. In de derde wereld is het in 1990 gedaald tot 1,8 hectare (en zelfs tot 0,4 hectare in Bangladesh). Met een paar getallen kan een beeld worden geschetst van de omvang van het verschijnsel. In Egypte, bijvoorbeeld, neemt de bevolkingsgroei duizelingwekkende vormen aan. Egypte, bakermat van de antieke beschavingen, telde in 1913 13 miljoen inwoners; nu is dit aantal gestegen naar 70 miljoen, en voor 2025 zal het de 100 miljoen zijn gepasseerd. Slechts 4% van de Egyptische grond is echter geschikt voor landbouw. In Cairo wonen 23 miljoen mensen. Brazilië is een ander voorbeeld: in 1950 woonden er 52 miljoen mensen, in 2005 zijn het er 175 miljoen.

Bairoch spreekt schertsend over het onwaarschijnlijke verbond tussen de marxisten en de katholieke kerk, die elkaar vonden in hun verzet tegen de geboortebeperking. De katholieke kerk deed dit uit naam van haar strijd tegen de anticonceptie in het algemeen, de marxisten beriepen zich op de discussie tussen Marx en Malthus over de automatische verarming van de arbeiders. Nu wil de ironie van de geschiedenis dat de landen die gelden als de sterkst marxistische zoals China en Cuba, toch juist de strengste geboortebeperking hebben opgelegd. Deze dwangmaatregelen werden zelden opgelegd door regeringen die de rechten van de mens hoog in het vaandel hadden staan...

Laat demografische overgang zich exporteren? Of moeten wij hier uiteindelijk toegeven dat dit de kern is van wat – met Huntington – 'botsende beschavingen[34]' wordt genoemd, te weten het niet in staat zijn van bepaalde samenlevingen een eind te maken aan de patriarchale band en de uitbuiting van vrouwen? Het antwoord is eenvoudig: de transitie is al begonnen! In alle landen van de wereld, en – vreemd genoeg – in alle arme landen, daalt de vrouwelijke vruchtbaarheid naar het vervangingsniveau van 2,1 kind per vrouw. In de arme streken was deze daling indrukwekkend. Gemiddeld ging men daar van zes kinderen per vrouw in 1950 naar vijf kinderen in 1970, vervolgens naar vier in 1980 en ten slotte naar drie kinderen op dit moment. Dit uiterst belangrijke fenomeen van het begin van deze 21ste eeuw is dus volkomen onbekend gebleven, behalve bij de deskundigen. Het grootste deel van de 143 landen die tot de arme landen worden gerekend, kenden dertig jaar geleden een fertiliteit van meer dan vijf kinderen per vrouw. Nu is dit nog slechts het geval voor 49 ervan, terwijl in 21 landen al een vrouwelijke vruchtbaarheid onder het vervangingsniveau wordt geconstateerd.[35]

Geen enkele religie ontkomt aan dit gegeven. In Brazilië, een zeer katholiek land dat lange tijd een grote bevolkingsgroei kende, is het vruchtbaarheidscijfer in minder dan twintig jaar van vier kinderen gedaald naar 2,3 kinderen per vrouw. Tussen 1950 en 2000 is in Egypte het vruchtbaarheidscijfer teruggelopen van zeven naar 3,4 en in Indonesië van 5,6 naar 2,6. In India is de vruchtbaarheid in dezelfde periode van zes naar 3,3 kinderen gedaald. En China bevindt zich tegenwoordig, weliswaar met twijfelachtige middelen, met 1,8 kind per vrouw onder het vervangingsniveau. Wat heeft zo'n kolossale daling veroorzaakt? Deskundigen hebben, zoals gezegd, het belang benadrukt van economische ontwikkeling en onderwijs, met name van meisjes.* Onderwijs voor

---

* Wie aanneemt dat er een vast verband bestaat tussen medische vooruitgang, daling van de kindersterfte en bevolkingsexplosie, vergeet een fundamentele

vrouwen wordt geacht carrièremogelijkheden te scheppen, waardoor vrouwen minder of later kinderen krijgen. Los van dit economisch voordeel is ook benadrukt dat deelname van vrouwen aan de arbeidsmarkt een beperkende factor is voor de vruchtbaarheid, indien hun autonomie hiervan groeit en hen in staat stelt zich te verzetten tegen het patriarchaat. In de praktijk valt echter een sterke demografische daling te zien, terwijl in talloze betrokken landen voornoemde ontwikkelingen nauwelijks aanwezig zijn. Niet alleen is deze daling zowel op het platteland als in de steden opgetreden, ook betrof het landen waar de deelname van vrouwen aan de arbeidsmarkt gering bleef. Zo lijkt de rol van menselijke ontwikkelingsindicatoren klein of zelfs nihil bij het voorspellen van het begin van de demografische overgang, ook al kunnen ze wel een bijdrage leveren bij het inschatten van de snelheid waarmee deze zal plaatsvinden.

Het enige continent dat een snelle bevolkingsgroei doormaakt, te snel voor de beperkte hulpbronnen, is Afrika. Zoals we al hebben aangegeven, zal het aantal Afrikanen binnen de komende vijftig jaar waarschijnlijk verdubbelen. Het vrouwelijke vruchtbaarheidscijfer is nog steeds vijf kinderen per vrouw, wat wel een

factor. Ondanks de geconstateerde vooruitgang is de gezondheidssituatie in de arme landen nog verre van ideaal: de kindersterfte blijft er abnormaal hoog. In de rijkste landen (het rijkste kwart van de wereld) sterven 4 op de 1000 baby's. In de arme landen ligt dit cijfer op 200 per 1000. De ziektes – tuberculose, polio, diarree, hepatitis, meningitis enzovoort – zijn nagenoeg dezelfde als die waaraan men in de 19de eeuw stierf. Gebrek aan vitamine A leidt ieder jaar tot de dood van 8 miljoen kinderen! Wanneer 20% van de kinderen vóór hun vijfde levensjaar overlijdt, zijn de gezinnen niet verlost van hun economische zorgen. Er worden meer kinderen geboren dan er werkelijk gewenst zijn, om zich te beschermen tegen de risico's van sterfte. Een gematigde daling van het sterftecijfer kan heel goed leiden tot bevolkingsgroei, ondanks een tegelijkertijd optredende daling van de vruchtbaarheid.

lichte teruggang betekent ten opzichte van eerdere cijfers. Er zijn meer zeer arme landen die een uitzondering vormen, zoals Nepal, Bangladesh, Haïti en Guatemala. Nog een opmerkelijke uitzondering, die wellicht de misverstanden verklaart rond de islamitische demografie, is Pakistan, waar het aantal kinderen op het hoge niveau van vijf per vrouw blijft.* Ondanks deze uitzonderingen zal de 'demografische overgang' – naar minder dan 2,1 kind per vrouw – volgens de Verenigde Naties voor het jaar 2050 wereldwijd in driekwart van de landen hebben plaatsgevonden.

De deskundigen van de VN die zich over deze kwestie hebben gebogen, hebben dus hun doctrines moeten herzien.[36] De afname van de vruchtbaarheid lijkt veeleer te verklaren te zijn door de verbreiding van culturele gedragingen dan door de economische kosten/batentheorie. Het aantal televisietoestellen is doorslaggevender voor de daling van de bevolkingsgroei dan het niveau van inkomen of onderwijs. De gedragsverandering heeft meer te maken met de nieuwe referentiemodellen die de mensen graag willen overnemen dan met de materiële situatie van het land. In China, bijvoorbeeld, doen jonge vrouwen hun best zoveel mogelijk op jonge Japanse vrouwen te lijken, die er in Japan al een tijd eerder voor hadden gezorgd dat het land onder het demografische vervangingsniveau was gekomen.** De demografische overgang is sneller opgetreden in een land als Brazilië, waar geen gezinsbeleid werd gevoerd, dan in Mexico waar gezinsplanning een grote rol speelde. Hier hebben we dus opnieuw een essentieel punt: in de arme landen loopt het gedrag vooruit op de materiële realiteit.

---

* Ook de kindersterfte is hier extreem hoog, te weten 340 op 100 000 geboorten, wat bijvoorbeeld het dubbele is van het Egyptische cijfer; dit komt overeen met de theorie die in voorgaande alinea is geschetst.

** Het percentage Japanse vrouwen die op 30-34-jarige leeftijd niet getrouwd zijn, is er gestegen van 7 in 1970 naar 19,7 in 1995.

De demografische overgang vormt grotendeels de kern van de kwestie die in verband wordt gebracht met de 'botsende culturen'. De tegenstelling tussen een patriarchale samenleving en een moderne samenleving in de betekenis zoals die in het Westen hieraan wordt gegeven, draait vaak om de positie van de vrouw. Dat de helft van de mensheid, de vrouwen, zich onafhankelijk opstelt ten opzichte van het autoritaire model, althans op grond van deze indicator, kan geen rol spelen bij het stellen van de diagnose omtrent de omvang van de beschavingen. Het draait allemaal om de vraag of deze discrepantie tussen de bewustwording en de realiteit van de wereld lang kan voortduren.[*]

WHAT WENT WRONG?

In *Botsende beschavingen* stelt Samuel Huntington de islam centraal in de aangekondigde oorlog tussen de religies. De wereld wordt volgens hem niet door de islam bedreigd vanwege zijn welvaart, maar om demografische redenen. Toch hebben we gezien dat de demografische overgang de islamitische landen beslist niet heeft overgeslagen. Aangezien de islam 20 % van de wereldbevolking vertegenwoordigt, doch slechts 6 % van de rijkdom in de wereld, lijkt het voor de hand te concluderen dat de islam een probleem heeft met de moderne wereld in het algemeen en met economische vraagstukken in het bijzonder. Het geval van de islam

---

[*] In *Le Capitalisme utopique* heeft Pierre Rosanvallon aangetoond dat het gedachtegoed van het kapitalisme in de 18de eeuw ook al vooruit leek te lopen op de realiteit. Het boek van Adam Smith *Wealth of Nations* is in 1776 uitgegeven, terwijl de auteur totaal niet op de hoogte schijnt te zijn van grote uitvindingen als de stoommachine, die het kapitalisme zouden vormgeven. In die tijd wordt Europa gedragen door een dynamiek van interne groei die allang bestond; nu is het meest opvallend de kloof tussen het zich bewust zijn van een wereld die al klaar is, de onze, en van een wereld die niet komt.

is slechts één variant van een probleem dat al vele malen aan de orde is gesteld. De gedachte dat religie een voorspellend vermogen heeft met betrekking tot de welvaart van een samenleving is voor het eerst verwoord in het beroemde boek van Max Weber, *De protestantse ethiek en de geest van het kapitalisme*. Weber gaf hiermee, samen met anderen, het startschot voor dergelijke ideeën door zich af te vragen 'op welke wijze bepaalde geloven verantwoordelijk waren voor het opduiken van een "economische mentaliteit", anders gezegd van "de ethos" van een bepaald economisch systeem'.

Het feit dat moslims armer zijn dan de gemiddelde wereldbevolking, is echter niet voldoende om te concluderen dat er een causaal verband bestaat tussen de eerste en de tweede term, net zo min als er tegenwoordig vanuit wordt gegaan dat de erfenis van Confucius verantwoordelijk is voor de huidige Chinese armoede of dat men katholicisme en protestantisme tegenover elkaar zou willen plaatsen om de welvaartsverschillen tussen landen te verklaren.[37] Toch zijn al deze stellingen in het verleden naar voren gebracht. Zo verklaarde men dat Japan en niet China nu welvaart kende vanwege het feit dat in het Land van de Rijzende Zon het shintoïsme, een lokale variant van het protestantisme, werd beleden, terwijl het confucianisme (nauwer verwant aan het katholicisme?) overheerste in het Rijk van het Midden.[38] Nu de Chinese industriële productie jaarlijks bijna 10 % groeit, weten we niet meer wat te denken van deze theorieën voor het doorgronden van de factoren die bepalen of het kapitalisme al dan niet wordt omarmd. En ook al zijn Ierland, Spanje en Portugal wat later in de trein van de economische groei gesprongen, toch komt Ierland nu al uit boven het Europese gemiddelde en niemand zal eraan twijfelen dat ook Spanje en Portugal op hun beurt de bestemming zullen bereiken en daarmee de levensstandaard van de meest geavanceerde Europese landen. Confucianisme noch katholicisme heeft het kapitalisme lange tijd in de weg gestaan.

Foutieve redeneringen uit het verleden mogen ons dan waarschuwen voor overhaaste extrapolaties, ze ontslaan ons niet van de plicht het probleem van de islam toch aan de orde te stellen. Om een wetenschappelijk verantwoord oordeel te vellen over dit vraagstuk, zouden we moeten beschikken over de juiste punten van vergelijking. Economen willen het specifieke belang van een gegeven factor beoordelen door 'de overige factoren onveranderd te laten'. In de meeste gevallen is dit ondoenlijk. Anders dan bij de experimentele wetenschappen, waarbij de concentratie van een bepaald product gedoseerd kan worden om de invloed ervan te beoordelen, moeten ze de verschijnselen vaak in hun geheel beschouwen. Milton Friedman heeft echter opgemerkt dat een dergelijke onderneming niet altijd vergeefs hoeft te zijn. Soms ziet de geschiedenis kans een situatie te voorschijn te toveren die vergelijkbaar is met laboratoriumproeven. Wie wil oordelen, zei hij, over de superioriteit van de markteconomie ten opzichte van de geleide economie, hoeft slechts Noord-Korea te vergelijken met Zuid-Korea, ex-Tsjechoslowakije met Oostenrijk, Letland met Finland of de Volksrepubliek China met Taiwan. Zelfde uitgangspositie, zelfde geschiedenis, zelfde bevolking en aan de finish een onweerlegbaar verschil tussen de twee regimes.

Met welk land moet dan de ontwikkeling van de islamitische landen worden vergeleken? Het antwoord is simpel: met hun niet-islamitische buurlanden. Aangezien het belachelijk is om de islam in het algemeen te vergelijken met de rest van de wereld, kunnen we net zo goed een overwegend islamitisch land vergelijken met een naaste buur die dat niet is. Wat zien we als we bijvoorbeeld Maleisië naast Thailand plaatsen, Senegal naast Ivoorkust of Pakistan naast India? Alle eerstgenoemde landen zijn overwegend islamitisch, in de tweede reeks komen alle of bijna alle religies naast elkaar voor. Het resultaat is helder: er valt nauwelijks enig verschil te constateren. Maleisië heeft een jaarinkomen van 6990 dollar per hoofd, Thailand 5840 dollar, Senegal 1750 dollar, Ivoorkust 1730 dollar, Pakistan 1540 dollar en India 1700 dollar. Op basis van deze bedragen kan moeilijk geconcludeerd worden dat de islam een doorslaggevende groeifactor is. De vergelijking zou kunnen worden uitgebreid met andere menselijke ontwikkelingsfactoren, zoals levensverwachting en scholingsgraad. De overeenkomsten zijn opvallender dan de verschillen. Hier vinden we het indexcijfer terug van de vrouwelijke vruchtbaarheid. Indonesië, het dichtstbevolkte islamitische land ter wereld, is in feite, met Thailand, het land uit die regio waar dit het laagst is: in 2000 bereikte het een niveau van 2,6 kinderen per vrouw. Aan het begin van de jaren zestig was dit cijfer exact tweemaal zo hoog. De Filippijnen, een naburig katholiek land dat echter een licht hoger inkomen heeft, kent een vruchtbaarheid van 3,6 kinderen per vrouw. India zit er met 3 kinderen per vrouw tussenin.

Hoe valt een dergelijke invloed van geografische nabijheid als referentiemodel te verklaren in vergelijking met de rol die de religies spelen? Men kan denken aan handel, aan migratie... De mechanismen van gedragsverspreiding die de demografische overgang verklaren, hebben hier waarschijnlijk ook de meeste invloed. Wanneer een buurland iets met succes onderneemt, wordt dit uiteindelijk altijd geïmiteerd. Regionale blokken lijken de neiging tot convergentie te vertonen. West-Europa, dat grote verschillen kende aan het einde van de 19de eeuw, vertoont aan het begin van de 21ste eeuw een tamelijk duidelijke convergentie. En als men de actuele gegevens van Chili, Argentinië en Brazilië bekijkt, kent Zuid-Amerika een soortgelijke ontwikkeling. Hetzelfde valt op dit moment in Azië te constateren. Zo is het ook gegaan in de 19de eeuw, toen de in Engeland begonnen industriële revolutie werd overgenomen door Frankrijk en vervolgens Duitsland, om bijna een eeuw later ook (christelijk) Rusland te bereiken, waar de ontwikkeling uiteindelijk bleef steken. Zo was ook niets zo belangrijk voor Azië als het succes van Taiwan of Zuid-Korea, en niets zal belangrijker zijn voor Afrika dan een welvarend Zuid-Afrika of Nigeria.

Deze vergelijkingen zijn op zichzelf niet voldoende om de sceptici te overtuigen. Er kan worden opgeworpen dat ze arbitrair zijn gekozen om een resultaat te bevestigen dat al bij voorbaat vaststond. Dat is niet waar. In de loop van de 20ste eeuw bestaat er geen statistisch significant verschil in economische groei tussen islamitische landen en hun buurlanden. De economen hebben echter wel wat geleerd met betrekking tot de welvaart van landen, namelijk het belang van de geografische ligging. Er bestaat geen betere groei-indicator voor een land dan het groeipercentage van de naaste buurlanden. Afrika heeft een probleem, het is niet islamitisch Afrika dat een probleem heeft ten opzichte van de rest van het continent. Azië heeft in 1997 een crisis doorgemaakt, niet Maleisië of Indonesië ten opzichte van Thailand of de Filippijnen. Terugkomend op het aangesneden vraagstuk, kunnen we dus beter spreken over Centraal-Azië of het Midden-Oosten dan over de islam in het algemeen.

Mohammed en Confucius

In de bestseller *What Went Wrong?* zoekt ook Bernard Lewis naar de oorzaken van de islamitische achterstand.[39] Hoe valt het te begrijpen dat deze beschaving, die een grote voorsprong had op het Westen aan het begin van het tweede millennium, zo in de versukkeling kon raken in de 16de en 17de eeuw? 'Toen de islamitische beschaving op zijn hoogtepunt was,' herinnert Lewis ons, 'was er slechts één andere beschaving, te weten de Chinese, waarvan de prestaties vergelijkbaar waren qua omvang, kwaliteit en diversiteit.' De islam is constant een intermediair geweest tussen het Westen en het Oosten. Via de islam komt het papier vanuit China naar het Westen en het decimale stelsel vanuit India. Als beheerder van de Bibliotheek van Alexandrië gaf de islam het Westen zelfs een stuk van de eigen geschiedenis terug, de Griekse filosofie. 'Op de meeste artistieke en wetenschappelijke terreinen ging middeleeuws Europa in de leer bij de islamitische wereld.' In zijn werk over de geschiedenis van de technologie, *The Lever of Riches,* wijst ook Joel Mokyr op de talloze zaken die het Westen aan de islam heeft ontleend.[40] Op het gebied van de landbouw heeft de islam het Westen geleerd gebruik te maken van complexe irrigatiesystemen.

Ook heeft deze beschaving het Westen rijst gebracht, hard graan – waarvan pasta wordt gemaakt –, sinaasappels, citroenen, bananen en watermeloenen, evenals asperges, artisjokken, spinazie en aubergines. Op industrieel gebied had de islam met name een grote voorsprong voor wat betreft textiel. De herkomst van bepaalde woorden spreekt wat dit aangaat boekdelen: mousseline komt van Mosul in Irak, damast van Damaskus, fustein van de Fustat, in het huidige Cairo. De introductie van katoen is eveneens aan deze beschaving te danken. Corduaans leer, uit Córdoba, was een van hun specialiteiten, evenals metaalbewerking, waarvan de degens van Toledo een goed voorbeeld zijn.

Ineens echter veranderden de verhoudingen tussen de twee beschavingen radicaal. Zelfs al vóór de Renaissance begonnen de Europeanen belangrijke vooruitgang te boeken op het gebied van kunst en cultuur. In de Renaissance maakten ze grote sprongen voorwaarts, waarbij ze de wetenschappelijke, technische en zelfs culturele erfenis van de islamitische wereld ver achter zich lieten. De problemen ontstonden niet, vervolgt Lewis, zoals anderen al eerder beweerden, door het verval van de islamitische wereld. Het Osmaanse Rijk en zijn legers waren vanuit traditioneel oogpunt nog even doeltreffend als altijd. Net als op veel andere gebieden waren het ook hier de inventiviteit en dynamiek van de Europeanen die de kloof tussen de twee kampen groter maakten. Kanon, musket en verrekijker werden zonder problemen door het Midden-Oosten uit het Westen geïmporteerd. Maar dat was dan ook alles. 'De Renaissance, de Reformatie, de wetenschappelijke revolutie zijn volledig aan het Midden-Oosten voorbijgegaan en hebben er totaal geen invloed gehad. Pas zeer laat, tegen het einde van de 18de eeuw, werd 'kunnen praten met Europeanen en weten wat er bij hen omgaat' een groot pluspunt voor een loopbaan in het Osmaanse Rijk. Het was echter te laat. De opkomst van het Westen heeft de islamitische wereld volledig verrast.

Dit zo opmerkelijk lijkende lot van de islam is in feite niets nieuws. In China valt een haast identieke gang van zaken te constateren. Na eerst open en nieuwsgierig naar de rest van de wereld te zijn geweest, sluit China zich bruusk af, juist op het moment dat Europa zijn opmars begint. Het beeld van een in zichzelf gekeerd China dat slechts wantrouwig buitenlandse handelaars binnenlaat, is pas na de 16de eeuw ontstaan. Zo verklaarde keizer Gaozong in 1137: 'Winst uit overzeese handel is zeer belangrijk. Als dit geld goed wordt beheerd, kan het miljoenen opleveren: is dat niet te verkiezen boven belastingen heffen bij het volk?' Dit beleid kende een nieuwe impuls tijdens de Mongoolse overheersing (1280-1368).* De buitenlandse handelaars worden goed ontvangen. Gesteund door de introductie van een nieuwe, doeltreffende rijstvariëteit die snel rijpt en twee à drie oogsten per jaar

---

* De Ming, de Chinese dynastie die het langst regeerde, blijven aan de macht tot 1644.

mogelijk maakt, kent China vervolgens een periode van welvaart die het niveau benadert van de bloeitijd van de Europese landen in de 18de eeuw. Er wordt beleid ontwikkeld voor graanopslag om hongersnoden te voorkomen. Papiergeld wordt opnieuw ingevoerd en wordt het enige wettige betaalmiddel. Er worden kanalen gegraven en de kustvaart breidt zich uit. In die periode vindt de beroemde reis van Marco Polo plaats.

Aan het begin van de 15de eeuw, enige jaren voordat Columbus uit zal varen met drie ranke karvelen, stuurt China over de Indische Oceaan naar de oostkust van Afrika vloten die bestaan uit honderden schepen van zo'n 120 meter lang en met in totaal zo'n 28 000 bemanningsleden. Toch wordt in 1490, vlak voor de ontdekking door Columbus van Amerika, besloten te stoppen met deze expedities en China te sluiten voor buitenlanders. De poorten van het Hemelse Rijk gaan plotseling dicht na een paleisrevolutie waarin de eunuchen, voorstanders van voortzetting van openheid, tegenover het keizerlijke hof staan dat gesloten grenzen nastreeft. De samenleving blijft rijk, maar het verval is ingezet.[41]

Jared Diamond heeft in zijn commentaar op deze episode belangwekkende opmerkingen gemaakt over het verschil tussen Europa en een rijk zoals China. In China is een beslissing aan de top op zich voldoende om een hele ontwikkelingsketen stop te zetten. In Europa daarentegen stoot een pionier als Columbus vijfmaal zijn hoofd voordat hij een van de honderden Europese prinsen zover krijgt hem te financieren. Dankzij – en niet ondanks – de politieke versplintering blijkt Europa een gebied te zijn dat ontvankelijk is voor innovaties. Het scenario herhaalt zich voor het kanon, het elektrische licht, de boekdrukkunst en ontelbare andere uitvindingen. In bepaalde delen van Europa werden deze innovaties aanvankelijk genegeerd en soms zelfs openlijk vijandig tegemoet getreden op basis van lokale, soms wat eigenaardige redenen. Zodra een vernieuwing echter op één plek was geaccepteerd, slaagde ze erin zich ook over de rest van het continent te verbreiden. Nadat in China eenmaal en zonder tegenstand was besloten de grenzen te sluiten, begon er na 1490 een lange periode van isolement die pas eindigde in 1842 met het verdrag van Nanking (Nanjing), toen Engeland China dwong zijn deuren te openen voor de opiumhandel.* Vanaf 1870 werd China een halve kolonie. De Bokseropstand, die begint in februari 1900 en doorgaat tot september 1901, zorgt ervoor dat de westerse mogendheden volledig het gezag krijgen over het land.

Tot 1450 was China dus veel innoverender dan Europa. Dankzij China hebben we 'onder meer sluizen, gietijzer, diepboring, garelen, buskruit, vliegers, het magnetisch kompas, papier, porselein, de boekdrukkunst, het achtersteven en de kruiwagen.'[42] Daarna is het land gestopt met vernieuwen. Net als de islamitische beschaving is het in zichzelf gekeerd, net op het moment dat Europa een snelle ontwikkeling doormaakte. Dit gebeurde kort voor de Engelse industriële revolutie. In tegenstelling tot wat Paul Bairoch dacht, heeft Europa China en India al aan het begin van de 19de-eeuwse mondialisering op achterstand gezet. Volgens de tegenwoordig gezaghebbende Maddison zijn de verhoudingen in 1820 al 1 op 2.[43] In de loop van de 19de eeuw zal deze kloof dieper worden, niet omdat India armer wordt, maar omdat het land er niet in slaagt de groei van de Britse welvaart bij te benen. In 1948 ontvlucht Tjiang K'ai-sjek echter het vasteland en vestigt zich op Taiwan. Vijftig jaar later is de levensstandaard van de Taiwanese

---

* Vanaf 1858 krijgen de Engelsen toestemming om met hun kanonneerboten de Chinese rivieren op te varen en het recht voor Europeanen zich in het land te vestigen en er handel te drijven.

Chinezen praktisch gelijk aan de Engelse. Het ziet er naar uit dat continentaal China op zijn beurt gewoon hetzelfde wil gaan doen als Taiwan. En het is niet eenvoudig culturele redenen te vinden waarom het daar niet in zou slagen. Iedere analyse op basis van religie of beschaving van de Chinese of islamitische achterstand waaruit zou blijken dat deze onoverkomelijk is, loopt het risico betwist te worden zodra de politieke regimes waarmee beide beschavingen worden geïdentificeerd omver zullen zijn geworpen.

HOOFDSTUK V

Inheemse groei

DE ZOEKTOCHT NAAR DE GRAAL

Toen het uur van de dekolonisatie sloeg, deed de gedachte dat de zojuist onafhankelijk geworden landen hun achterstand konden inlopen door een voluntaristisch beleid te voeren de harten sneller kloppen van alle volkeren die zich ontworsteld hadden aan het juk van hun vroegere meesters. Bevrijd van de geest van het kolonialisme zou niets hun welvaart meer in de weg staan. William Easterly heeft hierover een boeiend boek geschreven, *The Elusive Quest for Growth*, een geweldige zelfanalyse van een econoom van de Wereldbank met goede intenties, die zich buigt over dit recente en zijn eigen verleden.[44] Hij herinnert aan de met veel ophef gestarte dekolonisatie die begon met Ghana, het eerste Afrikaanse land dat in maart 1957 onafhankelijk werd. Vice-president Nixon was aanwezig tijdens de inwijdingsplechtigheid van de nieuwe president Kwame N'krumah. 'Hoe voelt het vrij te zijn?' vroeg Nixon aan twee officiële genodigden, zo gaat het verhaal. 'Geen idee,' antwoordden zij hem, 'wij komen uit Alabama.'

Ghana produceert op dat moment tweederde van alle cacao in de wereld. Het heeft de beste scholen van Afrika, de gezondheidszorg is er goed. De dag van de plechtigheid is de opwinding voelbaar. Eenmaal aan de macht zet N'krumah een megalomaan project op: een geïntegreerde aluminiumindustrie. Stroomopwaarts moet een enorme stuwdam stroom leveren voor de hele productieketen. Experts waren zeer enthousiast, onder meer omdat dankzij de stuwdam een complete visindustrie zou kunnen worden ontwikkeld. Met steun van de Britse en Amerikaanse regering en van de Wereldbank werd de dam van Akosombo inderdaad gebouwd. Ook de aluminiumfabriek verrees binnen de gestelde tijd. Op 19 mei 1964 opende president N'krumah tijdens een grandioze openingsceremonie de schuiven van de dam.

Veertig jaar later zijn de Ghanezen nauwelijks rijker dan in 1957. De aluminiumproductie is tussen 1969 en 1992 gemiddeld 1,5 % per jaar gestegen. Maar er heeft zich geen enkele 'externaliteit' voorgedaan. De visserij is niet gegroeid. De door de dam veroorzaakte ecologische catastrofe heeft gezorgd voor ziektes als malaria en bilharzia. Het idee dat het meer een communicatiemiddel tussen Noord en Zuid zou kunnen zijn bleek onterecht. Alles wat fout kon gaan, ging fout. N'krumah werd bij een staatsgreep in 1966 afgezet. Het was de eerste van een reeks van vijf in de loop van de daaropvolgende vijftien jaar. Toen N'krumah werd afgezet, was het volk uitgelaten. Door zijn megalomane projecten was de hoofdstad Accra uitgehongerd en rees de inflatie de pan uit.

Het enthousiasme van de Ghanezen zou kleiner zijn geweest als ze hadden geweten wat hun te wachten stond. Gedurende twee jaar, van 1969 tot 1971, herstelden de militairen de democratie met Kofi Busia als president. Vervolgens zette het leger hem aan de kant. In de jaren zeventig kwamen de hongersnoden terug. In het begin van de jaren tachtig was het inkomen met een derde gedaald ten opzichte van 1971. Het dieptepunt werd bereikt in 1983 tijdens de grote droogte die de stuwdam onbruikbaar maakte. Dat jaar kregen de Ghanezen slechts tweederde van de calorieën die nodig worden geacht. Ondervoeding was de oorzaak van de helft van de kindersterfte. In 1983 was het gemiddelde inkomen gedaald onder het niveau van de dag van de onafhankelijkheid in 1957.

Natuurlijk is deze catastrofe ook te verklaren uit talloze technische fouten en is het Ghanese voorbeeld slechts een van de vele mislukte investeringsstrategieën. Zo haalt Easterly Tanzania aan, waar van een splinternieuwe, door de Wereldbank gefinancierde schoenenfabriek werd verwacht dat deze de hele Tanzaniaanse markt zou voorzien en 4 miljoen paar schoenen per jaar zou exporteren naar Europa. De fabriek, eigendom van de Tanzaniaanse regering, heeft nooit een productie gehaald van meer dan 4% van haar capaciteit. De fabriek was niet aangepast aan het Tanzaniaanse klimaat; de muren waren van aluminium en er was geen ventilatiesysteem. De reeks 'witte olifanten' die de Afrikaanse steppen in de jaren van 'ontwikkeling' is gaan bevolken is bekend. De economen strooiden achteraf lustig theorieën rond om het mislukken van de gevolgde strategieën te verklaren. Eerst benadrukten ze de rol van het menselijk kapitaal als sleutel voor de groei, vóór die van het fysieke kapitaal. Daarna werden technische vooruitgang, instellingen en vertrouwen aangevoerd als cruciale factoren voor de ontwikkeling. Met de teleurstelling van dien.

Het effect van onderwijs stelde al evenzeer teleur als bovengenoemde strategieën. In Nepal is tussen 1960 en 1990 het percentage van een leeftijdsklasse met basisonderwijs gestegen van 10 tot 90%. De economische groei is echter uitermate beperkt gebleven. Landen als Angola, Mozambique, Ghana, Zambia, Madagaskar, Jordanië en Senegal hebben ook een schijnbaar spectaculaire verhoging van hun onderwijsniveau gekend. In deze landen waar het onderwijs met meer dan 4% per jaar is gestegen, is de inkomensgroei per hoofd met minder dan 0,5% per jaar mager gebleven. In de jaren tachtig, waarin het onderwijs de grootste ontwikkeling heeft doorgemaakt, is de groei kleiner geweest dan in de vijf voorafgaande decennia. Het is natuurlijk ook zo dat er, net als in het geval van de aluminiumfabriek die men vergeten was te voorzien van airconditioning, veel te zeggen valt over de inhoud van het onderwijs zelf. In Pakistan zou volgens Easterly driekwart van de onderwijzers niet slagen voor het examen dat ze hun leerlingen laten afleggen! De positie van onderwijzer is vaak het resultaat van politieke vriendjespolitiek. Er wordt veel geld uitgegeven voor de onderwijzers maar bijna niets aan de rest. Volgens Gilma en Pritchett zou het rendement van de overige uitgaven – zoals aan boeken en potloden – tienmaal zo hoog zijn als dat van de onderwijzers. We zien dat in samenlevingen waarin corruptie de boventoon voert, zelfs de beste bedoelingen hun doel voorbijschieten. Dat is de belangrijkste les die getrokken kan worden uit de mislukkingen die volgden op de dekolonisatie: geen enkel ontwikkelingsproject is ooit efficiënt als het niet oprecht gesteund wordt door de samenleving. Elke ontwikkelingsstrategie uitgedacht door een paar deskundigen achter hun bureau is nagenoeg onvermijdelijk gedoemd te mislukken. De koloniale aanpak wordt zo op een andere wijze herhaald.

HET JAPANSE MODEL

Voor alle arme landen zijn de mislukkingen na de onafhankelijkheid veranderd van perspectief sinds de verbreiding van een uit Azië afkomstig ontwikkelingsmodel. Een serie staatsgrepen heeft autoritaire regimes aan de macht gebracht die elk op verbazingwekkende wijze blijk gaven van een uitgesproken pro-business houding. Dit geldt voor Maleisië in 1958, Thailand in 1960, Zuid-Korea in 1961 en Indonesië in 1966. In al deze gevallen had de staat diepgaande invloed en droeg via een ontwikkelingsbank bij aan de financiering van grote infrastructuren als stroomvoorziening, autowegen en vliegvelden. In Thailand was de Board of Investments bijvoorbeeld betrokken bij bijna 90% van de industriële projecten in het land.[*] Deze verleende fiscale vrijstellingen

---

[*] Of zoals Alice Amsden het samenvat: de algemene filosofie die deze nieuwe industrielanden inspireert, is eerder 'getting the job done' dan 'getting the prices right', 'liever ingrijpen dan laisser faire.'[45]

en verstrekte gesubsidieerde leningen.[*] Voor al deze landen geldt dat ze het model willen imiteren van Japan, het enige niet-westerse land dat erin is geslaagd het Westen in te halen.

Japan is een fascinerend voorbeeld. Net als China en de islamitische wereld was het een van de meest gesloten samenlevingen ter wereld. Tussen 1639 en 1854 kreeg slechts één westers schip per jaar toestemming een Japanse haven binnen te varen. Daarna volgde de beroemde episode van commandant M.C. Perry, die vanaf de brug van zijn kruiser in 1854 Japan verplicht zijn havens open te stellen. De periode vlak na deze schok doet denken aan de overgang die de landen van Oost-Europa hebben meegemaakt na de val van de Berlijnse muur. In Japan stijgen de prijzen tussen 1859 en 1865 met een factor 6. De politieke macht wankelt. De shogun wordt ontwricht, de keizer neemt het heft weer in handen. De beslissing om het land te moderniseren wordt van de ene dag op de andere genomen. Later werd dit wel de shocktherapie genoemd: het is de Meiji-revolutie van 1868.

Deze begon met een agrarische hervorming waardoor de boeren zelfstandig werden. Ze werden tot eigenaar van hun land verklaard, waarbij werd voorkomen dat de kwetsbaarste onder hen verarmden door tot 1872 de verkoop van hun land te verbieden, een maatregel die nu weer door China is ingevoerd.[46] Een weloverwogen hervorming van de grondbelasting werd doorgevoerd, waarbij de proportionele belasting werd vervangen door een forfaitaire. De staat greep, in sectoren waar het privé-initiatief te zwak werd geacht, hoog in de productieketen in. Dit echter voor

---

* Er bestaat echter een breed spectrum. In Zuid-Korea zijn immense, zeer geconcentreerde, industriële concerns opgericht, de fameuze *chaebols*; de houding van Taiwan wordt als veel liberaler beschouwd. Hier is het vooral het midden- en kleinbedrijf dat voor succes heeft gezorgd. Vergeleken met Zuid-Korea zijn de bedrijven er ongeveer zevenmaal zo klein.

de duur van hooguit enkele jaren, waarna de ondernemingen weer werden verkocht. Deze privatiseringen gaven de staat de financiële middelen om op andere terreinen te investeren. De staat nam eveneens het initiatief machines uit het buitenland te importeren. Van elk ervan werd één exemplaar in elke prefectuur getoond als voorbeeld voor de lokale handwerklieden. Ten slotte stuurde de staat talloze technici naar het buitenland, terwijl Japan zelf slechts bij hoge uitzondering een beroep deed op buitenlandse technici.[*] Er werd ook een radicale verandering van het onderwijs doorgevoerd. In 1913 lag de industrialisatiegraad (per inwoner) al op 45 % van die van Europa. In 1938 werd Japan de vijfde industriële macht ter wereld.

Een eeuw later is het Aziatische model nog bijna ongewijzigd. Onder auspiciën van diverse ontwikkelingsbanken werd er geïndustrialiseerd op basis van verschillende subsidies, belastingvrijstellingen of gesubsidieerde leningen. In tegenstelling echter tot wat in Ghana was gedaan, werden de bedrijven hier uitsluitend ondersteund als er een vastomlijnde doelstelling tegenover stond, meestal op het gebied van export. Als een bedrijf er niet in slaagt zijn doelstellingen te bereiken, worden onmiddellijk alle kredieten ingetrokken. Dit aanhoudende accent op de export is tekenend voor het fundamentele verschil met Latijns-Amerika, waar men onbewust wellicht de Noord-Amerikaanse situatie met betrekking tot de 'grote interne markt' wilde imiteren. Het zal niemand verbazen dat het gemiddelde jaarlijkse groeicijfer van de Zuid-Koreaanse export boven de 25 % ligt, gevolgd door Taiwan met een groei van 20 % per jaar. Meer dan 90 % van de export van deze twee landen is tegenwoordig industrieel.[**] China is duide-

---

[*] In twintig jaar tijd zijn het er slechts 2000.

[**] In 1995 is de openingsgraad van Zuid-Korea 36 %, van Maleisië 30 % en van Thailand 39 %.

lijk dezelfde weg ingeslagen. Met een openingsgraad van 25% van het bbp bestaat tegenwoordig 85% van de export uit industriële producten.

De rol van de wereldhandel

De wereldhandel had India en China in de 19de eeuw niets goeds gebracht. De houding van deze landen ten opzichte ervan is wel veranderd, maar vooral omdat het protectionisme dat vervolgens is ingevoerd nauwelijks beter heeft gewerkt. India is wat dat betreft een goed voorbeeld. Meteen na de onafhankelijkheid in 1947 stelt het een beleid in dat gericht is op de herovering van de binnenlandse markt. In 1913 was India zevenmaal zo arm als de vs en had het een inkomen dat niet ver lag van wat we tegenwoordig het bestaansminimum zouden noemen. In 1990, na meer dan veertig jaar protectionistisch beleid, bereikte India met grote moeite het Amerikaanse niveau van 1820 en was daarmee zestienmaal zo arm geworden als de vs in dat jaar. De in de 19de eeuw al onafhankelijke landen als Brazilië en Mexico, die al heel vroeg tariefmuren hadden opgeworpen om zich te beschermen tegen internationale concurrentie, hebben het niet beter gedaan. In haar commentaar op het Mexicaanse voorbeeld maakte Alice Amsden duidelijk dat het Mexico juist vanwege het protectionisme niet is gelukt een groeispiraal te doen ontstaan. De Mexicaanse ondernemers deelden liever onder elkaar de opbrengst van een gesloten markt dan vernieuwingen door te voeren.[*]

Deze mislukkingen zijn niet alleen te wijten aan het gekozen handelsstelsel. Ze duiden op één gebrek, te weten de afwezigheid

---

[*] 'In moderne technieken werd zelden geïnvesteerd. Het was voor ondernemers lucratiever beschut door tariefmuren de marktprijs van katoen en textielproducten te manipuleren, dan te innoveren en internationaal concurrerend te worden.'[47]

van een binnenlandse drijfveer voor groei, die 'inheemse groei' genoemd zou kunnen worden. De onderwijskwestie is een cruciaal voorbeeld van wat er speelt. Overal in de ontwikkelingslanden is het onderwijsniveau te laag gebleven. Of we het nu over India, China, Brazilië of Turkije hebben, de bevolking had er in 1950 gemiddeld minder dan drie jaar onderwijs genoten, terwijl op hetzelfde moment in Europa het overeenkomstige cijfer al op acht jaar lag.

We hebben hier te maken met een van de factoren die Japan zonder slag of stoot in het rijtje van de wereldmachten hebben getild. Elk dorp heeft er begin 19de eeuw, dus ruim voor de Meiji-revolutie van 1868, al zijn eigen school. In 1872 bezoekt vrijwel iedereen de basisschool.[*] In 1937 is het verschil in aantallen studenten in het hoger onderwijs (in percentages van de overeenkomstige leeftijdsklasse) tussen Japan en Europa 90%, in het voordeel van Japan. Een voorbeeld maakt de gevolgen van deze situatie duidelijk. In 1850 heeft China een grote voorsprong op Japan in de zijde-industrie, Maar als de zijderupsziekte toeslaat, maakt Japan zich de methoden van Louis Pasteur eigen en laat het China, dat niet in staat blijkt tot dezelfde aanpassing, ver achter zich.

Zonder ingenieurs moet een arm land wel op ieder gebied afhankelijk zijn van het buitenland om moderne technieken over te nemen en aan te passen. Het is dus onvermijdelijk dat ergens in de keten het proces blokkeert. Het is naïef te denken dat vreemde technieken zomaar kunnen worden geïmporteerd zonder minstens gedeeltelijk ook de productieomstandigheden ervan aan te passen. Er zijn altijd bijzondere factoren, al is het maar het kli-

---

[*] Tussen 1873 en 1913 stijgt het aantal leerlingen op basisscholen van 1,3 naar 6,5 miljoen; in het voortgezet onderwijs van minder dan 2000 naar 924 000, ofwel een scholingsgraad van 23% tegen 5% in dezelfde periode in Europa. In het hoger onderwijs stijgt het aantal van 4650 naar 56 000, ofwel 1,3%, wat meer is dan in Europa (exclusief Rusland).

maat, die een aanpassing vereisen aan de lokale omstandigheden. De vooruitgang in de landbouw is een fraai voorbeeld van deze fundamentele redenering. In de Europese landen is men vanaf de 17de en 18de eeuw erg inventief geweest op landbouwgebied, allereerst in Nederland en vervolgens in de rest van Europa. Deze zogenoemde landbouwrevolutie vond in een gematigd klimaat plaats. De beschikbaarheid van een tarwevariëteit met een hoge opbrengst of die beter bestand is tegen vorst in het voorjaar, heeft natuurlijk geen enkele invloed op economieën waar voornamelijk rijst wordt gegeten of waar het klimaat anders is.

Er zijn andere innovaties nodig dan de oorspronkelijke om de variëteiten aan te passen aan de lokale omstandigheden. Zo is de Canadese provincie Manitoba pas in het begin van de 20ste eeuw een belangrijke graanproducerende streek geworden; dit lukte slechts vanaf het moment dat men over een nieuwe, snel rijpende graanvariëteit kon beschikken, de Red Five, die aangepast was aan het klimaat en het resultaat was van intensief werk van Canadese onderzoekers. Een dergelijke werkwijze is onmogelijk voor een arm land dat niet zelf over mogelijkheden beschikt om aan innovatief onderzoek te doen ter aanpassing aan de eigen situatie.[*]

---

[*] 'De kaart met ontwikkelde regio's en die met gematigde klimaatzones zijn bijna volledig identiek' (Bairoch, *Mythes et Paradoxes, op.cit.*). Diamond heeft al benadrukt dat landen met een gematigd klimaat echter pas laat tot bloei zijn gekomen in de geschiedenis van de mensheid, waarmee hij het idee verwerpt dat het klimaat op zich een positieve of negatieve invloed heeft op de vernieuwingscapaciteit van een streek. Het staat daarentegen wel vast dat in streken met een gematigd klimaat ontwikkelde innovaties zonder aanpassingen in tropische klimaten vaak nutteloos zijn. Overigens maakte de hoge bevolkingsdichtheid in Azië (drie- of viermaal zo hoog als in Europa) – de tol van eerder succes – het land ongeschikt voor de Europese landbouwtechnieken, aangezien de daar uitgevonden machines aangepast waren aan landbouw in uitgestrekte, dunbevolkte gebieden.

Het Frankrijk van de 19de eeuw is eveneens eens goed model om tegenover India en China te stellen. Na afloop van de napoleontische oorlogen is Frankrijk een land met een industriële achterstand. Arbeidskracht is goedkoop, waardoor het land in staat is de afwezigheid van moderne technieken te compenseren, maar hierdoor worden innovaties niet gestimuleerd; de binnenlandse vraag is klein, waardoor producenten geen aantrekkelijke afzetmarkt hebben. Alle ingrediënten voor een vicieuze cirkel van armoede zijn aanwezig. Toch is het Franse landschap volledig veranderd in de periode tussen de val van het Eerste Keizerrijk in 1815 en de komst van het Tweede in 1852. Tijdens de Wereldtentoonstelling van 1851 tonen Franse industriëlen hun nieuwe industriële stootkracht tijdens de presentatie van nieuwe modellen turbines, daguerreotypen en kleurstoffen voor textiel. In nog geen halve eeuw is het Frankrijk gelukt een nog ambachtelijke economie, waarvan het comparatieve voordeel zich beperkte tot luxeproducten, vaarwel te zeggen. Het land is erin geslaagd de smalle weg in te slaan van imitatie en innovatie.

Onlangs is de ontwikkeling in de streek rond Marseille nog onderwerp van een studie geweest.[48] Bedrijven putten allereerst uit de kweekvijver van mensen uit ambachtelijke kringen. Daarna verwierven technici al snel de kennis en competentie die nodig waren voor innovatie en kwamen ze met machines met een hoog prestatievermogen, die aangepast waren aan de plaatselijke behoeften. Zo kreeg Marseille een leidende positie in de olie- en suikerproductie. De technieken uit dit voorbeeld vereisten geen bijzondere wetenschappelijke vaardigheden, zelfs niet voor de toepassing van de stoommachine, zelfs niet in de jaren 1870-1890. Het probleem ligt anders voor transportmotoren, scheepsmachines en locomotieven. Tussen 1835 en 1845 vestigden zich meer dan vijftien Britse technici en tientallen geschoolde Britse arbeiders in Marseille. In alle gebieden rond de Middellandse Zee gebeurde hetzelfde, van het Egypte van Mohammed Ali tot het koninkrijk der beide Siciliën van Ferdinand II of Barcelona. In tegenstelling echter tot wat er in Egypte gebeurde, zorgde hier de ontmoeting tussen twee dynamieken voor deskundigheidsverbetering. 'Als technologische innovatie niet wordt ondergaan, maar er tijdens een groeifase op wordt geanticipeerd, dan is er kans op succes.'[49]

Geen enkel land mag dan uitsluitend en alleen op basis van de wereldhandel tot bloei kunnen komen, het is een even grote illusie te hopen het welvaartsniveau van de rijke landen te kunnen bereiken en tegelijkertijd autarkisch te blijven. Het Aziatische model is wat dat betreft een schoolvoorbeeld. Door stimulering van de export kan een land over deviezen beschikken waardoor het de beschikking krijgt over middelen om zeldzame goederen in te voeren, met name kapitaalgoederen, die het land nodig heeft en die de groei bevorderen. Hier zorgt de handel rechtstreeks voor groei. Maar net als in het Japan van na de Meiji-revolutie is de wereldhandel eveneens een factor die de selectie van de nationale trots doeltreffender maakt; deze handel is een onderdeel van het industriebeleid van het land en een van de hefbomen voor het slagen van de Aziatische handelspolitiek.

Twee belangwekkende artikelen, van Sachs en Warner uit 1995 en van Rodriguez en Rodrik uit 2000, bespreken de tegenstelling die bestaat in de interpretatie van de invloed op de groei van de internationale handel.[50] Sachs en Warner hebben een categorie gedefinieerd van landen die als 'open' bekendstaan op basis van een aantal criteria zoals deviezenregelingen of handelsbarrières. Ze tonen aan dat de landen die bij de open groep horen, altijd een grotere groei hebben gekend dan de zogenoemde gesloten landen. In de periode 1970-1995 heeft de groep met een open economie een groei doorgemaakt van gemiddeld 4,5 % per jaar, terwijl de gesloten economieën hun bbp met slechts 0,7 % per jaar zagen groeien. Onder de open economieën was de groei van de opkomende economieën bovendien twee punten hoger dan die van de rijke economieën. Bij de gesloten economieën is er onderling geen enkel verschil. Een open markt lijkt dus gunstig voor convergentie van arme landen en rijke landen. Volgens Sachs en Warner is het resultaat niet mis te verstaan: de landen die voor een open beleid hebben gekozen, zijn zonder uitzondering elk jaar sneller gegroeid dan de gesloten landen. De landen die hebben gekozen voor een tussentijdse verandering van strategie kennen in de gesloten periode altijd een lagere groei dan in de open fase. Andere studies hebben deze resultaten kunnen aanscherpen. Zo hebben Frankel en Romer bijvoorbeeld aangetoond dat geografische variabelen als ligging aan zee of de nabijheid van grote handelscentra factoren zijn die gunstig werken op de economische groei van een land.[51] Met andere woorden: naarmate de handel in een land gemakkelijker plaats kan vinden, is de economische groei er sterker.

Deze onderzoeken zijn door Rodriguez en Rodrik bekritiseerd omdat ze niet leiden tot conclusies omtrent een gunstiger rol van de handel in strikte zin.* Voor wat betreft geografische variabe-

---

* In hun nauwgezette overzicht van de tests die zijn gedaan met het idee dat handel een groeifactor is, tonen zij aan dat de variabele die het resultaat van Sachs en Warner voornamelijk verklaart, de variabele is die de waardevermindering als gevolg van wisselen op de zwarte markt meet. De interpretatie van deze variabele zoals deze door Sachs en Warner is opgevoerd, houdt in dat deze waardevermindering een druk legt op de handel voor zover exporteurs (in het algemeen) hun deviezen tegen de officiële koers moeten verkopen, terwijl importeurs (althans die in de marge opereren) hun deviezen waarschijnlijk kopen op de zwarte markt. Er bestaan natuurlijk andere variabelen op het gebied van macro-economisch beleid die met de zwarte markt

len als de nabijheid van handelscentra, door Sachs en Warner genoemd als gunstig voor de handel, benadrukken Rodriguez en Rodrik het moeilijk te bestrijden feit dat de omgeving een land op nog heel wat andere manieren beïnvloedt dan alleen via de handel.[*] De helaas overleden Rudiger Dornbusch merkte in zijn commentaar op het artikel van Sachs en Warner terecht het volgende op: 'De goederenhandel is wellicht nog wel het onbelangrijkste voordeel van een open samenleving. De directe uitwisseling van ideeën en methoden en de succes bevorderende concurrentie spelen minstens een even belangrijke rol.' Sachs en Warner zijn inderdaad niet erg expliciet over het herkennen van mechanismen die ervoor zorgen dat handel een groeifactor is. Rodrik had in eerdere werken al benadrukt dat economieën met een hoog exportpercentage het zich kunnen veroorloven in het buitenland veel kapitaalgoederen aan te schaffen, wat de economische groei stimuleert. In zijn recentere studies toont hij aan dat een open

te maken hebben, zoals financiële repressie, inflatie, schuldcrisis enzovoort, die het uiterst moeilijk maken de vraag te beantwoorden of het hier wel handelsbarrières betreft.

[*] Voor Rodriguez en Rodrik heeft de internationale handel een positieve invloed op de instellingen in een land. Volgens hen is een open maatschappij minder bevattelijk voor vriendjespolitiek, fraude en corruptie. In een belangrijk artikel met de titel 'Why Do Some Countries Produce so Much More Output than Others' (Hall en Jones, *Quarterly Journal of Economics*, 1999) dat in dezelfde richting wijst, wordt gesteld rekening te houden met 'de sociale infrastructuur' van een land. Een open markt in de zin van Sachs en Warner is hier een van de componenten van; het naleven van de wetten is een ander belangrijk kenmerk. Volgens de index voor sociale infrastructuur die op deze manier wordt samengesteld, hebben Zwitserland en de Verenigde Staten het hoogste niveau en Zaïre, Haïti en Bangladesh het laagste. De auteurs tonen met deze twee uitersten aan dat er een bijna perfecte correlatie bestaat tussen het economisch ontwikkelingsniveau en de zo samengestelde index. De causaliteit blijft natuurlijk een lastige kwestie.

markt meer van invloed is vanwege de impact op de instellingen van het land. Een open samenleving biedt minder kans op vriendjespolitiek en corruptie dan een gesloten samenleving. Andere studies bevestigen het nauwe verband dat er bestaat tussen een open markt en economische efficiency van instellingen. Onderwijs is hier een treffend voorbeeld van. Uit het geval Pakistan blijkt nog eens duidelijk dat het niet voldoende is kinderen naar school te sturen om er zeker van te zijn dat ze opgeleid zullen zijn in die zin dat ze nuttig voor de economische groei zijn. Het is mogelijk te bewijzen dat open samenlevingen in het algemeen beter gebruik maken van onderwijs dan gesloten samenlevingen. De rol van de handel is, zoals we zien, even indirect als essentieel: hij verplicht de open samenlevingen ervoor te zorgen dat hun overheidsinstellingen efficiënt werken.

Het debat lijkt misschien wat theoretisch. Van de geciteerde auteurs bestrijdt niemand immers dat de open samenlevingen sneller zijn gegroeid dan de gesloten samenlevingen. Dit punt wordt sterk benadrukt door Rodriguez en Rodrik zelf. 'Wij kennen geen enkele studie,' schrijven ze, 'waaruit naar voren komt dat protectionisme een groeifactor is geweest.' En inderdaad, sinds India er in 1991 voor heeft gekozen de internationale handel te liberaliseren, kent het een groei van meer dan 6% per jaar, beduidend hoger dan daarvoor. China doet het nog beter met een cijfer van rond de 10% per jaar. De overige Aziatische landen blijven niet achter. Ondanks de crisis van 1997 bedroeg de groei er in het gehele laatste decennium van de vorige eeuw gemiddeld meer dan 7% per jaar. Wat er ook de precieze oorzaken van mogen zijn, de feiten zijn onweerlegbaar: de Aziatische landen, waar niet minder dan 60% van de wereldbevolking woont, hebben blijkbaar een methode gevonden – te weten lenen in het buitenland en binnenlandse ontwikkeling – waarvan de belangrijkste verdienste is de schijnbaar vaste regel dat 'de duivel altijd op de grote hoop schijt' met feiten te logenstraffen.

DE HEFBOMEN VAN DE RIJKDOM

De wereld telt tegenwoordig een miljard rijken, 2,5 miljard armen en 2,5 miljard zeer armen. In nominale dollars zijn de arme en de zeer arme landen goed voor slechts 20% van de rijkdom in de wereld terwijl 85% van de wereldbevolking er woont. Als we naar de armste landen kijken, zijn de cijfers nog frappanter; hier vinden we namelijk slechts 3% van de mondiale rijkdom terwijl er 40% van de wereldbevolking leeft. Economen hebben erop gewezen dat deze cijfers de armoede van de armste landen overdrijven. In een arm land is het leven uit de aard der zaak goedkoper, want wonen en zorg zijn er minder duur. Feit blijft echter dat, een miljard mensen wel degelijk van 1 euro per dag moeten leven.[*] Gemiddeld is de koopkracht van de groep armste landen ongeveer tienmaal zo klein als die bij ons, wat bij ons zou neerkomen op een halve minimumuitkering. Voor de groep arme landen, die er wat beter aan toe zijn, zijn de cijfers bemoedigender: zij zijn slechts viermaal zo arm als wij. Ze verdienen gemiddeld iets meer dan het halve minimumloon.[**]

---

[*] Dit na toepassing van de zogenaamde koopkrachtcorrectie (er is rekening mee gehouden dat het leven in arme landen in feite goedkoper is).

[**] Er zijn nog nooit zoveel mensen geweest die van minder dan 1 dollar per dag moeten leven als nu, maar in percentages van de wereldbevolking zijn de cijfers iets minder ontmoedigend. Het deel van de wereldbevolking dat in absolute armoede leeft, is nu waarschijnlijk kleiner dan het ooit is geweest. In 1890 leefde 80% van de wereldbevolking van het equivalent van 1 dollar per dag (berekend in 1990). In 1950 betreft het aantal personen dat van dit bestaansminimum leeft, ongeveer de helft van de wereldbevolking. Nu ligt het rond een kwart van de totale bevolking.[52]

Uit een analyse van de onderontwikkeling trok Arrighi Emmanuel de conclusie dat arme landen onvermijdelijk door de rijke geëxploiteerd moesten worden. Hij ging er onder meer van uit dat de enige bron van rijkdom menselijke arbeid was. Als voor een uur werk in Bombay minder wordt betaald dan in Detroit, moet de oorzaak wel de uitbuiting van de Indiër door de Amerikaanse arbeider zijn. Tegenwoordig kan rijkdom absoluut niet meer op basis van een dergelijke benadering worden verklaard, we moeten immers evenzeer rekening houden met factoren als infrastructuur, telefoon, elektriciteit en computers. Dit blijkt uit een onderzoek van de International Textile Manufacturers Federation, waarin de resultaten van de textielindustrie in talloze landen met elkaar worden vergeleken. We geven hier de vergelijking tussen India en de Verenigde Staten, een eeuw na de analyse van Gregory Clark met betrekking tot de textielfabrieken in de 19de eeuw.

Allereerst verschilt het aantal uren werk dat nodig is om eenzelfde stuk textiel te vervaardigen van land tot land niet noemenswaardig. In India is dat nauwelijks 8 % meer; de rol die het werktempo en de organisatorische efficiency hierin spelen, is dus niet doorslaggevend. Er is amper nog een spoor te vinden van de verschillen die Clark in de 19de eeuw registreerde. Het verschil tussen de salariskosten in de twee landen is echter enorm. Een uur werk kost in India vijftien maal zo weinig als in de Verenigde Staten. Gezien deze cijfers zouden we dus verwachten dat Indiase textiel veel goedkoper is. Dat is echter niet zo. Met uitzondering van het maakloon zijn alle kosten van het Indiase textiel hoger.* De energieprijzen liggen er bijvoorbeeld 50 % hoger en het kapitaal kost er tweemaal zoveel, net als de grondstoffen. Zelfs ruwe katoen is in India duurder (gedeeltelijk vanwege de subsi-

---

* Het maakloon is in India 2 % van de totale kosten en in de VS 20 %.

dies in Amerika). Een punt dat a priori buitengewoon gunstig lijkt, de geringe loonkosten, valt weg in de totale kostenstructuur die ongunstig is als kapitaal en energie worden meegerekend. In feite komt uit dit onderzoek naar voren dat het alleen Brazilië en Zuid-Korea lukt tegen lagere kosten te produceren dan de Verenigde Staten. Indonesië en Turkije bijvoorbeeld slagen hierin evenmin.

De hefboomtheorie

De rijkdom van een land wordt niet alleen bevorderd door mensenwerk, maar eerder door een aantal hefbomen die elkaar in werking zetten. Onderwijs en beroepservaring vormen de eerste hefboom. Iemand die kan lezen en schrijven, heeft meer mogelijkheden dan een analfabeet. De tweede hefboom is de mogelijkheid die machines bieden. Zonder computer zal een ingenieur minder efficiënt werken dan met. Deze machines zetten op hun beurt weer een derde, minder grijpbare hefboom in werking. Hier wordt ook wel over totale efficiency gesproken, waarmee zowel de technische vooruitgang als de organisatorische efficiency van ondernemingen wordt bedoeld. Chips in computers zorgen er, net als een goede organisatie van het werk, voor dat machines minder krachtig hoeven te zijn. Deze drieledige hefboom verklaart de moderne economische groei en de nood van de arme landen.

In arme landen werken dezelfde hefbomen als in rijke landen. De tragedie is dat deze in de derde wereld allemaal een lichte afwijking vertonen.[53] Volgens onze berekeningen hebben ze alle-drie een afwijking van 35%. Als een arbeider in een rijk land een hefboom activeert waarvan het effect op 100 wordt gesteld, kan zijn collega in een arm land gemiddeld beschikken over een hefboom met een effect van slechts 65. Onderwijs, kapitaal en totale efficiency liggen in arme landen allemaal ongeveer een derde lager. Aangezien de interactie tussen deze drie de werking nog versterkt, beschikt de arbeider uit een arm land in totaal slechts over een rendement van 65 %, vermenigvuldigd met 65 % en nog eens vermenigvuldigd met 65 %, wat er ten slotte op neerkomt dat slechts 27 % wordt bereikt van het niveau van de rijke landen. Hier vinden we de verhouding van 1 op 4 terug tussen het inkomen van de rijken en dat van de armen.

Het resultaat is nog spectaculairder als we de landen onder aan de ladder bekijken. In Afrika bijvoorbeeld bereiken deze drie welvaartscomponenten elk 50 % van het niveau van de rijkste landen. Na vermenigvuldiging van de drie termen is de productiviteit van de Afrikaanse arbeider niet meer dan 12,5 % van die van de westerse arbeider. We zijn hier wel heel ver verwijderd van de verklaring van Gregory Clark, die met betrekking tot de Indiase fabrieken in de 19de eeuw alles herleidde tot arbeidsintensiteit. Produceren is tegenwoordig heel wat complexer dan vroeger. Een arm land heeft beslist geen kans meer de rijke landen in te halen door uitsluitend het werktempo te verhogen, als het daar al in slaagt. Lage arbeidskosten zijn niet of nauwelijks voldoende om de algemene nadelen van een arme samenleving te compenseren, zoals een slecht ontwikkelde infrastructuur (dure energie), hogere grondstofprijzen – werkelijk een gotspe – en hogere kapitaalkosten vanwege de algemene kapitaalschaarste.

Omdat de handicaps zich opstapelen, is het tegenwoordig voor arme landen uiterst moeilijk de achterstand weg te werken. Onderwijs, investeringen of aankoop van buitenlandse technologieën zijn op zichzelf niet voldoende, tenzij ze tegelijk met de andere hefbomen worden ingezet. Het kapitaal illustreert de vicieuze cirkel die hier ontstaat. Elke arbeider die in een arm land werkt, beschikt gemiddeld over vijfmaal zo weinig materiaal als zijn collega die in een rijk land hetzelfde werk doet. Financiële mondialisering zorgt níet voor een kapitaalstroom naar landen waar dit schaars is, maar werkt eerder krenterig in de richting van de arme landen. Dit verschijnsel, bekend als de Lucas-paradox, heeft onder economen heel wat discussies teweeggebracht. Waarom levert het kapitalisme de arbeiders van de arme landen niet de machines die hen productief zouden maken? Het antwoord is te vinden in de algemene aard van rijkdom en armoede. Het kan zeer rendabel zijn in New York een kruidenier, school of ziekenhuis te automatiseren. In Lagos is dat niet het geval omdat de klanten daar te arm zijn om de bijbehorende prijs te betalen. Op de wereldmarkt is niets te koop als je een dollar per dag verdient, al is de koopkracht groter doordat de mensen om je heen even weinig verdienen. Armoede is hier een cumulatieve vicieuze cirkel.

Door echter één voor één elk van de handicaps die de groei remmen aan te pakken, zoals opleiding, import van machines en technologische ontwikkeling, kan een land er in theorie bovenop komen. Als zo'n land alles aan wil pakken, en liefst nog tegelijk, zijn de offers die moeten worden gebracht echter enorm. We zien hier een voorbeeld van de door Marx afgekeurde tegenstelling tussen het zich toe-eigenen van de winst en de sociale voorwaarden voor productie. Het kapitalisme alleen is niet in staat voor alle onderdelen te zorgen die een samenleving als geheel productief maken. Het is daarentegen begrijpelijk waarom de autoritaire strategieën van de Aziatische landen die erin slagen de drie hefbomen voor economische groei tegelijk te laten werken, zo succesvol zijn.

VRIJHEID IS VOORUITGANG

Lee Kuan Yew, de gewezen leider van Singapore, is een van kampioenen van het Aziatische autoritarisme geworden. Hij heeft onder andere uiteengezet dat het verbod op kauwgum een van de dimensies van de Aziatische groei was.* Rond het idee dat het Aziatische model, waarin de individuele en libertaire waarden van het Westen als verachtelijk worden beschouwd, efficiënter is en tegelijkertijd het enige model dat tegen het Westen opgewassen is, zijn vaak theorieën opgebouwd; maar altijd door de regimes aan de macht. Deze visie is door niemand beter bekritiseerd dan door Amartya Sen in zijn al genoemde *Development as freedom*. 'Aung San Suu Kyi vertolkt de aspiraties van het volk van Myanmar absoluut met evenveel autoriteit als de militaire leiders van het land. En ik kan eigenlijk niet anders,' schrijft hij, 'dan het standpunt van Confucius en Plato over autoritair handelen delen.' Als je van mening bent dat vrijheid iets westers is, heb je de slechte gewoonte het verleden te beoordelen in het licht van het heden en daarbij bijvoorbeeld de inquisitie en de tragedies van de 20ste eeuw te vergeten...

Niet alleen is het niet bewezen dat het bbp van dictaturen hoger zou zijn (zelfs als we alleen de ontwikkelingslanden in het onderzoek betrekken), maar het idee op zich is zelfs een contradictio in terminis. Volgens Sen 'is het voor de middelen en doelstellingen op het gebied van ontwikkeling noodzakelijk dat het vrijheidsperspectief centraal staat, dat mensen die gunstige gelegenheden benutten, zelf beslissen over hun eigen lot en geen passieve ontvangers zijn van de vruchten van een door specialisten geprogrammeerde ontwikkeling en als volwaardig deelnemer aan het proces worden beschouwd'. Sen ziet de economische ontwikkeling als een 'uitbreidingsproces van de werkelijke vrijheden voor individuen'. Vrije toegang tot onderwijs en gezondheidszorg zijn essentiële elementen van de ontwikkeling. Het zijn niet al-

---

* Sinds maart 2004 is kauwgum weer toegestaan als bij de apotheek verkrijgbaar medicijn...

leen middelen daarvoor, ook al zijn ze het wel, in de eerste plaats zijn het haar doeleinden.

Voor een econoom draait de economische ontwikkeling volledig om materiële rijkdom, het bbp. Een rijk land kan kopen wat het wil, zelfs vrije tijd. Het is vrij, punt uit! Sen raadt ons aan kritisch te staan ten opzichte van deze redenering, even kritisch als tegenover de kritiek erop. Materiële rijkdom is ontegenzeglijk een element van menselijke vrijheid. Een wereld vol ontberingen is geen wereld waarin conform verwachtingen geleefd kan worden. Maar het vooruitzicht op vrijheid verandert aanzienlijk het verband tussen economische ontwikkeling en ontwikkeling zonder meer. Volgens de economische redenering is het niet nodig iemand die de keus heeft tussen wortels en bloemkool en die voor wortels kiest, ook nog bloemkool aan te bieden om hem gelukkig te maken. Een keuze maken is echter op zich een belangrijke stap naar menselijke vrijheid. De ontwikkeling reduceren tot haar gevolgen en daarbij het proces dat ertoe leidt negeren, werkt buitengewoon vertragend. Dit maakt Sen uiterst sceptisch ten opzichte van het idee dat autoritaire regimes – zoals dat van Lee Kuan Yew – het best in staat zouden zijn ontwikkeling te bevorderen.

De vergelijking tussen India en China werkt hier verhelderend. Er wordt weleens beweerd dat India eronder lijdt een democratie te zijn en dat dit een van de redenen is waarom het een lager groeipercentage heeft dan China. Voor Sen ligt het veel eenvoudiger. De oorzaak is het feit dat India nog altijd een abnormaal groot aantal analfabeten kent. Meer dan de helft van de bevolking kan niet lezen en schrijven, terwijl dit cijfer in China half zo laag ligt. Het elitedenken en het kastesysteem hebben er in India toe geleid dat de scholing van de elite voorrang krijgt, hetgeen trouwens de goede resultaten van de miljoenenstad Bangalore verklaart. Het overheidsbeleid betreffende gezondheid en onderwijs was een ware ontkenning van vrijheid voor de meerderheid. Toen India vanaf 1991 een actief economisch beleid ging voeren, was het dus veel minder goed toegerust voor het kapitaliseren van dit beleid dan China.

Landen als Costa Rica of de deelstaat Kerala van India zijn er ondanks hun grote armoede eveneens in geslaagd uitstekende resultaten te behalen op het gebied van onderwijs en toegankelijkheid van de zorgsector. Net als op Cuba hebben deze inspanningen echter niet het begin van economische groei ingeluid. In beide gevallen heeft een beleid gekant tegen privé-investeringen en marktontwikkeling de ten koste van hoge inspanningen tot stand gekomen winst weer tenietgedaan. In navolging van Ghana, dat uitsluitend heeft ingezet op het accumuleren van fysiek kapitaal, is ook in Kerala de groei gestopt omdat men hier juist meende alles in te moeten zetten op de accumulatie van menselijk kapitaal. Amartya Sen trekt deze redenering verder door en behandelt de markt zelf als een vrije ruimte, die als zodanig beschouwd dient te worden, of de effecten nu positief of negatief zijn.

Als voorbeeld neemt hij de arbeidsmarkt, waarbij hij voortborduurt op de analyse van Marx: de overgang van slavenarbeid naar vrije arbeid, hoe ongewis deze ook mag zijn, is een teken van ontwikkeling. Dat wil niet zeggen dat de perverse effecten van de markt niet hoeven te worden gecorrigeerd. Sen is trouwens meedogenloos ten opzichte van de Europese landen die door massawerkloosheid te laten ontstaan een aanzienlijk aantal mensen beroofd hebben van een bepaald aspect van het bestaan, namelijk het kunnen werken als men dat wil. Al is tegenwoordig slavenarbeid in 'ontwikkelde' landen slechts een herinnering, het menselijk lot – variërend van kinderarbeid tot uitbuiting van vrouwen – blijft in tal van arme landen tragisch.

De gedachte dat ontwikkeling geïnterpreteerd dient te worden als het streven naar de vrijheid om te zijn en te handelen zoals men wenst, maakt het eveneens mogelijk de kwestie van de ongelijkheden te verklaren. Arm zijn in een rijk land of arm zijn in een arm land is niet hetzelfde. Het door Sen gekozen perspectief verklaart waarom. De arme in een rijk land is materieel gezien vaak rijker dan de arme in een arm land. Maar omdat hij te maken heeft met sociale uitsluiting, berooft de relatieve armoede, waardoor hij niet aan goederen kan komen waar andere inwoners wel over kunnen beschikken, hem van een belangrijke dimensie in het menselijk leven, namelijk de omgang met anderen. Niet kunnen lezen als je deel uitmaakt van een bevolking die dat wel kan, is net als geen televisie hebben in een maatschappij die wordt gevormd door de televisie; het betekent een cruciaal aspect verliezen van de vermogens die het geluk beheersen, namelijk gezamenlijk met anderen te handelen of een bijdrage te leveren aan de totstandkoming van een publieke beslissing.

Het verband tussen ongelijkheid en deelnemen aan het maatschappelijk leven is veelzeggend. De samenlevingen met de minste sociale ongelijkheid zijn die waarin onderwijs en gezondheidszorg het verst ontwikkeld zijn. Uit een beroemd onderzoek van S. Preston op het gebied van de gezondheidszorg, blijkt dat er in Engeland een duidelijke stijging van de levensverwachting werd vastgesteld tijdens de decennia 1911-1921 en 1940-1951, waarin nota bene de twee wereldoorlogen plaatsvonden![54] Terwijl er in de overige – vroegere of latere – periodes uit de Engelse geschiedenis een groei van de levensverwachting viel waar te nemen die afhankelijk van de periode varieerde van één tot vier jaar, laten beide oorlogsdecennia een toename zien van meer dan 6,5 jaar. Hoe is dat mogelijk? Eenvoudigweg omdat de oorlogen een versnelde democratisering van het zorgstelsel in de hand hebben gewerkt, evenals een bredere toegang tot basisvoedsel. Tijdens de Tweede Wereldoorlog bijvoorbeeld daalt het percentage ondervoede mensen in Groot-Brittannië spectaculair. De oorlog schept dus een vraag naar sociale gelijkheid die gunstig blijkt te werken op het produceren van gemeenschappelijke publieke goederen.

Een ander voorbeeld illustreert de draagwijdte van deze redenering. Robert Lucas, winnaar van de Nobelprijs voor de economie en een van de grondleggers van de theorie van 'endogene groei', vergeleek de Filippijnen met Zuid-Korea in het begin van de jaren zestig en benadrukte dat beide landen globaal dezelfde eigenschappen vertoonden: hetzelfde scholings- en verstedelijkingsniveau, hetzelfde inkomen per inwoner. Lucas trachtte te begrijpen waardoor Zuid-Korea vervolgens een buitengewoon grote groei kende, terwijl de Filippijnen een veel bescheidener groei noteerden, en hij legde uit dat we simpelweg in 'wonderen' moesten geloven. Het wonder van Zuid-Korea is dat het geloofde in zijn mogelijkheden, de Filippijnen deden dat niet. Roland Bénabou pakte dit voorbeeld op en toonde aan dat er toch wel een belangrijk verschil bestond tussen Zuid-Korea en de Filippijnen waarvan Lucas niet op de hoogte was geweest.[55]

Op de Filippijnen bestond een grote ongelijkheid, vergelijkbaar met die in de Latijns-Amerikaanse landen. Zuid-Korea had, met name in navolging van Taiwan, al vrij snel als gevolg van de Japanse nederlaag en de hernationalisatie van het bezette gebied een agrarische hervorming in gang gezet en daarmee de ongelijkheden aanmerkelijk verkleind. Voor Bénabou is het feit dat de ongelijkheden klein zijn een van de voorwaarden voor een gunstige ontwikkeling van een efficiënt onderwijssysteem. Terwijl in Latijns-Amerika de elite haar kinderen in het buitenland laat studeren en in India het kastesysteem een zeer ongelijke toegang tot onderwijs in stand houdt, heeft Zuid-Korea een voldoende egalitaire samenleving geërfd, of deze zich eigenlijk na de oorlog zelf eigen gemaakt, dat het idee van massaonderwijs al snel fundamenteel wordt. De virtueuze cirkel van 'endogene groei' is op dat moment in gang gezet. Zuid-Korea geeft nu in verhouding tot zijn bbp net zoveel aan onderwijs en onderzoek uit als de rijke landen. Het land is aan de andere kant van de spiegel terechtgekomen.

De theorieën van Sen, die ontwikkeling opvat als een streven naar vrijheid, zullen degenen die zich zorgen maken over de hegemonische verleidingen van de 'nieuwe' regionale machten als bijvoorbeeld China en India niet geruststellen. Het blijft natuurlijk onduidelijk wat de politieke en geopolitieke effecten zullen zijn van de Chinese en Indiase groei. In Azië kunnen nu conflicten ontstaan, net als in het Europa van het begin van de 20ste eeuw. Evenmin als de daling van het vruchtbaarheidscijfer van vrouwen voldoende is om aan te tonen dat de vrouwen de emancipatiestrijd hebben gewonnen, toont de economische groei van een land aan dat de vrijheidslievende krachten het winnen van hun tegenstrevers. Niets zou echter naïever zijn dan te denken dat de Chinese groei daarentegen uitsluitend een middel is voor de leidende klasse om meer macht te verzamelen. De economische ontwikkeling geeft net zo goed voeding aan nieuwe aspiraties als dat ze zichzelf ermee voedt. Ze opent ongekende mogelijkheden zonder dat deze terechtkomen in een vooraf vastgesteld stramien. Het determinisme van mensen die er zeker van zijn dat de geschiedenis van de mensheid rustig verder zal kabbelen naar het einde, is wat dit betreft net zo onverstandig als de visie van hen die het conflict tussen de beschavingen blijven zien als het vaste gegeven van een onbeweeglijk verleden, ondoordacht is.

HOOFDSTUK VI

Het wereldrijk, enzovoort...

DE AMERIKAANSE HYPERMACHT IN DE EUROPESE SPIEGEL

Het afwijzen van de mondialisering wordt vaak verward met het afwijzen van Amerika, in de woorden van de Franse ex-minister van Buitenlandse Zaken Hubert Védrine een hypermacht die de overeenkomst bezegelt tussen de wereldrijken van vroeger en de economie-wereld van nu: wereldomspannend in zijn gevolgen en egoistisch in zijn beweegredenen. In *The Rise and Fall of the Great Powers*, een boek dat indertijd veel succes had en waar op de omslag Amerika stond afgebeeld dat van een podium afdaalde om plaats te maken voor Japan, formuleerde de Engelse historicus Paul Kennedy, hoogleraar aan Yale University, de theorie van de 'imperial overstretch', overbelasting van het wereldrijk, waarin hij het Amerikaanse verval voorspelde.[56]

Alle grote machten, zo voorspelde hij, gaan door tot ze aan het eind van hun Latijn zijn en zichzelf ruïneren. Een crisis van de overheidsfinanciën kondigde het einde van het Romeinse, het Spaanse en het Britse rijk aan en nu maakt zij zich op om een einde te maken aan de hegemonie van de Verenigde Staten. De actualiteit van het boek op het moment van verschijnen werd geillustreerd door de enorme overheidsschuld van de regering-Reagan, waarin Paul Kennedy een voorteken zag van verval. De machtige wereldrijken van de geschiedenis zijn vrijwel steeds ten onder gegaan aan financiële problemen van de overheid; dit was al eerder onweerlegbaar aangetoond door Gabriel Ardant in zijn *Histoire de l'impôt*.[57] Echter, wat lang als vaststaande waarheid heeft gegolden, is het nu niet meer. In het tijdperk van btw en inkomstenbelasting is het fiscale probleem van aard veranderd. Eén beslissing aan het begin van de ambtstermijn van Bill Clinton was voldoende om onmiddellijk een einde aan het tekort uit het Reagan tijdperk te maken en de Amerikaanse groei weer te doen opleven. De regering van Bush junior is weliswaar onmiddellijk na zijn verkiezing weer in een reeks tekorten verzeild geraakt, tegenwoordig gaat het om een door de conservatieven beproefde techniek met als doel de staat te privatiseren. De uitgaven van het Pentagon, het hart van het wereldrijk, worden door deze slimme politieke tactieken op geen enkele manier bedreigd.

Er bestaat in feite een fundamenteel verschil tussen de machtige wereldrijken van vroeger en de Verenigde Staten van nu, waardoor de vergelijking grotendeels mank gaat. Een rijk heeft de natuurlijk neiging te steunen op de rijkdom van zijn provincies om welvarend te worden. Groei wordt namelijk aangedreven door een 'smithiaanse' logica – naar Adam Smith, de beroemde auteur van *Wealth of Nations* – volgens welke arbeid verdeeld wordt over de verschillende gebieden van een wereldrijk. Dat was met name het geval in het Romeinse rijk en tot op zekere hoogte eveneens in het Britse rijk. Rome heeft al snel de hulpbronnen van het rijk gemobiliseerd om er voordeel uit te halen. Egypte en Gallië leverden het benodigde graan; textiel kwam uit het Midden-Oosten, amfora's kwamen uit Griekenland en metaalproducten uit Spanje.[58] Niet dat de Romeinen geen blijk gaven van inventiviteit. Rome was in 100 v.Chr. beter voorzien van plaveisel, riolering, voedsel en water dan de meeste Europese hoofdsteden in 1800. De Romeinen legden een uitzonderlijke vindingrijkheid aan de dag voor alles wat met architectuur – ze ontdekten het cement – en wegenbouw te maken had. Ze erfden door de Grieken ontwikkelde gereedschappen als hefboom, schroef, katrol en raderwerk, allemaal uitvindingen waarmee oorlogsmachines konden worden gebouwd, maar waarvan het gebruik voor burgerdoeleinden duizenden jaren op zich liet wachten.

Voor alles wat in strikte zin met het economische leven te maken heeft, heeft het millennium tussen 500 v.Chr. en 500 na Chr. namelijk bijzonder weinig opgeleverd. Op agrarisch gebied bleef het met name beperkt tot de grote irrigatiewerken die in Egypte en Mesopotamië werden aangelegd. Op industrieel gebied lopen de Oudheid en de Middeleeuwen ver achter bij de vooruitgang die bijvoorbeeld in China werd geboekt. Volgens de historicus Joel Mokyr[59] is de klassieke Grieks-Romeinse beschaving nooit erg creatief geweest in puur technologische zin. In die tijd is wel het waterrad uitgevonden maar er is nooit echt gebruik gemaakt van hydraulische energie. Men was het glasblazen meester en begreep hoe zonnestralen konden worden toegepast, maar de bril werd niet uitgevonden. Terwijl economie – toen al – een privézaak was, bleef het Romeinse rijk weinig vernieuwend.

In het door Mokyr geopperde onderscheid worden twee soorten economische groei tegenover elkaar gezet: groei die op gang wordt gebracht door een 'smithiaanse' logica en groei die beantwoordt aan een 'schumpeteriaanse' logica (naar de Oostenrijks-Amerikaanse econoom Joseph Schumpeter). Adam Smith beweerde dat een grote markt gunstig is voor een efficiënte verdeling van de arbeid onder de mensen, tegenwoordig zou dat eerder tussen de regio's van één economie zijn. Een dergelijke arbeidsverdeling is een bron van welvaart. Die van de wereldmachten. Volgens de schumpeteriaanse logica hangt groei af van het vermogen van een economie om te innoveren. Zo is het nu in de Verenigde Staten. In theorie belet niets ons de voordelen van deze twee types groei te combineren. Het optimaliseren van het gebruik van hulpbronnen op een zo groot mogelijk grondgebied is echter niet hetzelfde als een bestaande markt trachten te vernieuwen.

Het is de Europese samenleving die de schumpeteriaanse cyclus vanaf de Middeleeuwen echt op gang heeft gebracht. Het continent keert zich af van grappige speeltjes of Grieks-Romeinse oorlogsmachines en produceert ongemerkt vernieuwingen die als doel hebben het harde dagelijks leven gemakkelijker te maken en het materiële bestaan van de massa te verbeteren. Het middeleeuwse Europa is wellicht de eerste samenleving die een systeem opbouwt waarin wordt gestreefd spaarzaam om te gaan met handarbeid, slavenzweet en koelies. Heel wat misverstanden over de aard van het kapitalisme vinden hier hun oorsprong. Het paard, waarvan Jared Diamond ons heeft laten zien welke doorslaggevende rol het dier had in de antieke samenlevingen, wordt zuiver economisch gezien pas productief in de Middeleeuwen. Dankzij het in die tijd verbeterde gareel kan het als trekdier worden gebruikt; tot dan werd de keel van het dier door de riemen dichtgeknepen als het een te zware vracht moest trekken. De hele Europese geschiedenis van de Middeleeuwen tot nu toe is er een van een nieuw soort groei, waarbij de technologische vernieuwingen in een groeispiraal terechtkomen. Terwijl de smithiaanse groei ten slotte uitdooft, kent de schumpeteriaanse groei a priori geen limieten. Elk knelpunt, elke blokkeringsfactor geeft aanleiding tot het zoeken naar iets nieuws dat voor een oplossing kan zorgen. Hier zien we het eerste misverstand rond de Amerikaanse macht. De vs mogen dan in politieke zin een imperium zijn, in economische zin zijn ze dat niet of nauwelijks.

De ondergang van Europa?
Het eerste continent dat door de schumpeteriaanse macht van de Verenigde Staten op achterstand is gezet, is Europa. Europa lijkt nu van register te zijn veranderd en neigt meer naar een smithiaanse dan een schumpeteriaanse logica. De grote Europese markt

stimuleert samenwerkingsvormen en rationaliseert de taakverdeling binnen het werelddeel.* De schumpeteriaanse groei wordt daarentegen juist bevorderd door een constante vernieuwing van de techniek. Immers om te groeien neemt een bedrijf de plaats in van een rivaal door een innoverender product aan te bieden. Lange tijd was dat de kern van de Europese groei. Nu is dat het geval met de groei in Amerika, waar tweemaal zoveel octrooien worden aangevraagd als in Europa op het gebied van high tech en waar niet meer bedrijven worden gestart dan in Europa, maar ze zijn wel innovatiever en vijf jaar na hun oprichting maken ze een sterkere groei door dan hun Europese tegenhangers. In tegenstelling tot Silicon Valley kent Europa geen toppers als Microsoft, Intel, Cisco, IBM, Dell, Compaq of AOL. Het kan hier hooguit enkele sterke punten tegenover stellen op het sleutelgebied van de mobiele telefonie. Deze prestatie dient zelfs nog gerelativeerd te worden omdat er rekening moet worden gehouden met het feit dat 'toppers' als Nokia hun researchcentra in de Verenigde Staten hebben gevestigd. In het geval van de mobiele telefonie profiteert Europa wel degelijk van een 'smithiaans' voordeel, namelijk het bestaan van één enkele norm op zijn grondgebied. In de door *Business Week* opgestelde ranglijst van de honderd grootste bedrijven van de nieuwe economie staan zes Europese bedrijven – waaronder drie Scandinavische en één Frans STM – tegen 75 Amerikaanse bedrijven.

Er wordt weleens beweerd dat Europa van huis uit minder innovatief is dan de Verenigde Staten. Zonder terug te gaan tot de Mid-

---

* Zo is uit het werk van Augustin Landier uit Chicago en Stefano Scarpetta voor de OESO gebleken dat het oprichten van ondernemingen in Europa heeft geleden onder het feit dat de omvang van nieuwe Europese ondernemingen zich op een belangrijk lager niveau stabiliseerde dan die in de VS.

deleeuwen wordt dit idee door de geschiedenis van de 19de en het begin van de 20ste eeuw ontkracht. Europa was in de 19de eeuw 'schumpeteriaans'. Amerika was toen 'smithiaans' en vooral in de weer met het opzetten van zijn binnenlandse markt. Een groot aantal factoren, waaronder de Tweede Wereldoorlog, heeft ertoe geleid dat de rollen werden omgekeerd. Het zou heel goed kunnen dat Europa nog voordeel uit de huidige situatie haalt. Het heeft namelijk een kleine achterstand op Amerika op technologisch gebied en kan dus als tweede nog een betere keuze maken. Paul Geroski, een naar Engeland geëmigreerde Amerikaanse econoom, herinnert zich zijn verrukking bij het zien van de Europese kleurentelevisie. Doordat Europa een achterstand van tien jaar had op Amerika, had het een technisch superieur systeem kunnen kiezen. Wat voor Geroski een slimme strategie lijkt, is echter eerder iets wat bij gebrek aan middelen en wilskracht gewoon zo is gelopen.

Innovatie is echt 'de zenuw van de oorlog' van de nieuwe economie. Voor de nieuwe informatietechnologieën of geneesmiddelen is het nagenoeg het exclusieve voorwerp geworden van de economische activiteit, zoals blijkt uit de rapporten van de Franse Raad voor Economische Analyse opgesteld door Robert Boyer en Michel Didier of die van Elie Cohen en Jean-Hervé Lorenzi.[60] Sectoren als de traditionele dienstverlening, waar innovatie nagenoeg niet voorkwam, hebben ook te maken gehad met plotselinge vernieuwingen. Volgens de algemene statistieken lopen de grote landen niet specifiek achter op het gebied van onderzoek en ontwikkeling, maar op Europese schaal is het bedrag dat aan onderzoek en ontwikkeling wordt uitgegeven, veel lager dan in de Verenigde Staten. Als we de gegevens die Ugur Mulder heeft verschaft in aanvulling op het rapport van Elie Cohen en Lorenzi mogen geloven, is de gecumuleerde achterstand van de Europese Unie op de Verenigde Staten met betrekking tot uitgaven voor onderzoek en ontwikkeling tussen 1990 en 1997 opgelopen tot 386 miljard dollar; in de afgelopen jaren loopt deze achterstand jaarlijks op met wel 60 miljard dollar.

Zelfs los van het uitgavenniveau blijft het Europese onderzoek een opeenstapeling van nationale onderzoeken die in totaal minder waard zijn dan de som van de afzonderlijke componenten. Ondanks procedures om subsidies van de EU te krijgen, waarbij er streng op wordt toegezien dat de verdeling tussen de landen evenwichtig gebeurt, slaagt men er niet in Europese technologische topcentra van de grond te krijgen die vergelijkbaar zijn met de centra rond Amerikaanse universiteiten. Het zou ook verkeerd zijn te denken dat Europa het Amerikaanse model zou moeten kopiëren, want slechts weinig mensen zouden accepteren dat er naar Oxford of Bologna evenveel middelen zouden gaan als er nu naar Boston of San Francisco stromen, en de rol die het Pentagon speelt, is niet werkelijk inpasbaar op Europees niveau, alleen al vanwege de natuurlijke taalbarrières. Wetenschappelijk onderzoek in Amerika kan ten volle profiteren van de agglomeratie-effecten. Europa slaagt er niet in een formule te vinden die geheel past bij zijn geschiedenis en geografische situatie.

Het is al eens voorgekomen dat Europa een achterstand had op de Verenigde Staten en deze heeft weggewerkt. De *Trente Glorieuses* – de periode van economische bloei in Frankrijk na de Tweede Wereldoorlog – is een van de meest opmerkelijke episodes uit de economische geschiedenis van Europa. De managementmethoden die Franse industriëlen dan uit de Verenigde Staten overnemen, hebben iets vertrouwds over zich, iets dat in Europa al bestaat. Ze komen namelijk voort uit dezelfde bron, de industriële revolutie van het begin van de 20ste eeuw waaraan onder meer Frankrijk en Duitsland een grote bijdrage hebben geleverd. Ook moeten we niet vergeten dat er een sterke wens bestond de oorlog achter zich te laten en vol enthousiasme bezig te gaan met de wederopbouw. Renault, waarvan de naamgever veroordeeld werd wegens collaboratie, staat wat dit betreft tweemaal symbool. De huidige situatie is anders. Het feit dat vrijwel alle nieuwe technologieën uit de Verenigde Staten komen, zorgt voor een pijnlijk gevoel van vervreemding. 'Een beschaving raakt in verval als ze stopt met vernieuwen,' zegt Huntington in zijn *Botsende beschavingen*. Het probleem waarvoor de Verenigde Staten de wereld stellen, komt uit het feit dat innovatie hun comparatief voordeel is geworden. Het percentage Amerikanen dat een proefschrift op het gebied van techniek/technische wetenschappen schrijft, daalt gestaag. Maar de kracht van Amerika is dat het zonder problemen Indiase of Europese wetenschappers tegen ruime betaling binnen weet te halen. Voor India en China is de ruil niet ongelijk. De Chinezen hebben allang leren profiteren van de inbreng van hun diaspora. En het inkomensverschil met de Verenigde Staten is zo enorm dat ze waarschijnlijk dezelfde gedrevenheid voelen om hen in te halen als de West-Europeanen in de naoorlogse jaren.

Voor de Europeanen die het grootste deel van de 20ste eeuw contact hebben gehad met de Verenigde Staten, is de pil echter des te bitterder. Hebben de Europeanen een antwoord? Dat is waarschijnlijk, maar niet zeker. Joel Mokyr wijt het verval van het 19de-eeuwse Engeland aan het onvermogen technische universiteiten te stichten (met als voorbeeld de universiteiten die in Frankrijk en Duitsland zijn gesticht in die tijd), waardoor kinderen en kleinkinderen van de uitvinders van stoommachine en weefmachine de uitvindingen van hun ouders hadden kunnen verbeteren. Nog steeds treffen de achtenswaardige nakomelingen van deze geniale uitvinders elkaar in de 'public schools', de Engelse privéscholen, om hier de kunst van dienstbaarheid en goede smaak te bestuderen. Hierdoor moest Engeland aan het begin van de 20ste eeuw van de zijlijn toekijken hoe elders grote uitvindingen – de verbrandingsmotor en de elektrische motor – werden gedaan, die de wereld zouden veranderen. In feite zijn we hier aanbeland bij de hamvraag die elk volk zich moet stellen. Het is meer dan alleen een Europees probleem of een beschouwing over economische efficiency; de wereld kan pas 'rechtvaardig' zijn als alle volkeren het gevoel hebben bij te dragen aan het ontwikkelen van de kennis waardoor ze worden gevormd.

Europa, school der mondialisering

De Verenigde Staten belichamen een wereldmacht die model staat voor de nieuwe economie. Ze produceren voor de hele wereld zowel sportschoenen, geneesmiddelen, films en software als immateriële zaken. Maar deze wereldmacht is ook een 'provinciale', binnenlandse economie, bestemd voor consumenten voor wie, zoals we hebben gezien, graag meer wordt uitgegeven om hen over te halen Nikes te dragen dan om deze Nikes te produceren. Beide uitersten worden belichaamd, waarbij het mondiale en het lokale zeer nauw met elkaar verbonden zijn. Het Europese model is anders. Het is gebaseerd op uitwisseling tussen buurlanden waarbij gebruik wordt gemaakt van wat het Europese model blijft: een enorme diversiteit aan cultuur en geschiedenis, waarbij men er niet in slaagt de hindernis van de politieke integratie te nemen, juist vanwege deze niet-afnemende diversiteit. Het Europese model dient als inspiratiebron voor talloze landen, zoals die van de ASEAN die niet van plan zijn zich te laten opslokken door China, of die van Latijns-Amerika, die zich om ongeveer dezelfde redenen tegen de Verenigde Staten afzetten. Het is een goed model met als enige nadeel dat het minder universeel is dan de Europeanen graag zouden willen.

Toch heeft ook Europa, ondanks de gedeeltelijk door eigen schuld veroorzaakte mislukkingen, enige lessen in mondialisering in petto. Allereerst is de Europese Unie er altijd in geslaagd de inkomensverschillen tussen de lidstaten weg te werken. Ierland, dat in het begin ver achterbleef bij de andere landen van het continent, is nu een van rijkste van de Unie. In een lager, maar desalniettemin significant tempo zijn Spanje, Portugal en Griekenland (dat niet direct grenst aan de overige Europese lidstaten), hard op weg om op het Europees gemiddelde te komen. Het is natuurlijk onmogelijk te bepalen waaruit het Europees succes bestaat. Is het de toegang tot de interne markt? Zijn het de gemeenschappelijke instellingen of de hulpfondsen voor gebieden in moeilijkheden? Deze vraag is ongetwijfeld belangrijk voor deskundigen en ze speelde ook sterk mee in de discussies rond de uitbreiding met tien nieuwe leden. Wat het historische resultaat betreft, is het echter nauwelijks van belang. Als de arme landen immers eenmaal deel uitmaken van een eenheid met een institutionele samenhang zoals Europa die kent, dan zullen ze spoedig tot de rijke landen behoren.

Europa wordt soms verweten een vector van de mondialisering te zijn door de Europese economieën aan dezelfde wetten te onderwerpen als de wereldmarkt. Dat is een onterechte beschuldiging gezien de convergentie van de nationale inkomens die zij heeft meegebracht. Toch is Europa onderworpen aan dezelfde paradoxale effecten van de mondialisering. De daling van de afstandskosten heeft de regio's niet beschermd tegen agglomeratie-effecten. Terwijl de verschillen tussen naties blijven afnemen, is dit effect tussen regio's ruim twintig jaar geleden ineens gestopt. In Frankrijk produceert de regio Île-de-France in haar eentje 40% van het nationale bbp, een overheersende positie die op geen enkele manier wordt bedreigd door het internet of de TGV. De regio

Île-de-France heeft niet te lijden onder de mondialisering. Toch is de vernietiging van werkgelegenheid er even groot als elders. Maar er wordt eveneens veel werkgelegenheid gecreëerd. Voor regio's die nog steeds aangewezen zijn op een uit de 19de eeuw geërfde industriële specialisatie, brengt de mondialisering, die de overgang naar een postindustriële samenleving stimuleert, een aanzienlijke prijs op menselijk vlak met zich mee. In die zin wordt Europa weleens gezien als een tussenstap in de mondialisering.

Er valt nog een laatste les te trekken uit Europa. Het toont aan dat economische integratie geenszins uitroeiing van culturele diversiteit betekent. Als we kijken naar de heftige diversiteit van de Zweden, Italianen, Duitsers en Fransen of zelfs van de Portugezen en Spanjaarden, hoeven we niet te vrezen dat de markt de verscheidenheid in de wereld zal opheffen. Tegen hen die bang zijn dat de culturele diversiteit van de volkeren zal verdwijnen, kunnen we zeggen dat Europa deze eerder heeft aangescherpt dan weggevaagd. De Catalanen en de Corsicanen voeren hun eisen voor autonomie des te hoger op, daar ze zich op economisch gebied beschermd weten door Europa en de euro. Het argument van economische efficiency, op grond waarvan een natie groot moet zijn (in demografische zin) om welvarend te kunnen zijn, gaat niet meer op. De zes rijkste landen van Europa zijn in feite de zes kleinste: Luxemburg, de drie Scandinavische landen, Ierland, dat toch een nieuwkomer is, en Nederland. Hier zien we het door Bénabou beschreven mechanisme aan het werk. Hij stelt dat egalitaire samenlevingen een hoger groeitempo op gang kunnen brengen. Waarop het Europese succes is gebaseerd, namelijk economische integratie met respect voor de culturele diversiteit, is tegelijkertijd reden voor het onvermogen een volwaardige natiestaat te stichten. Omdat Europa zijn economische en culturele doelstellingen haalt, faalt het op dit moment met betrekking tot zijn politieke doelstelling.

Meteen na de aanslag op de Twin Towers hebben de Verenigde Staten hun hele arsenaal aan attributen van de soevereine staat uit de kast gehaald.[61] We gaan het hier niet over oorlogsvoorbereidingen hebben maar beperken ons tot de economie. Op dat gebied hebben we kunnen zien dat de Amerikaanse regering onmiddellijk met de farmaceutische industrie is gaan onderhandelen over het vrij gebruik van CIPRO, het middel tegen miltvuur; ze heeft de door de aanslag getroffen industrieën (verzekering, toerisme, vliegtuigmaatschappijen) schadeloosgesteld en in het voorbijgaan een extra daling van de rentevoet binnengehaald. Alles lijkt in het werk te zijn gesteld om zo snel mogelijk uit de crisis te komen. De Europese reactie was volledig anders. Europa bleek een reus te zijn die verstrikt zat in zijn eigen regels en procedures. De Europese staten moesten lastige onderhandelingen met de Commissie voeren om toestemming te krijgen voor ondersteuning van de door de crisis getroffen sectoren. Het budgettaire antwoord werd ingepast in het stabiliteitspact en de Europese Centrale Bank ging ten slotte over tot een renteverlaging maar met uitstel en op voorwaarde dat de bank niet langer onder druk gezet zou worden. En zoals nog eens duidelijk werd gemaakt in een ontnuchterend briefje dat door de studiegroep 'Notre Europe' onder voorzitterschap van Jacques Delors werd gepubliceerd: 'Terwijl in de Verenigde Staten een informeel telefoongesprek tussen de president van de centrale bank en de minister van Financiën voldoende is voor een constructieve gedachtewisseling, moeten er in de eurozone bij elke dialoog noodzakelijkerwijs veel meer mensen worden betrokken.'

Zoals Elie Cohen en Jean Pisani-Ferry opmerken, is in Europa alles gedaan om ervoor te zorgen dat niemand ooit echte beslissingen hoeft te nemen.[62] Alles moet verlopen volgens van tevoren vastgestelde regels, of het nu de Europese Centrale Bank of het stabiliteitspact betreft. Binnen gespecialiseerde gebieden als het mededingingsrecht of sanitaire normen kan Europa een supra-nationale, efficiënte en doeltreffende regeling treffen. Het is ech-ter niet in staat deze aan te passen aan bijzondere omstandighe-den, zelfs al zijn die zo uitzonderlijk als van 11 september. Elke re-guliere regering weet echter dat ze hulp moet kunnen bieden aan slachtoffers van een onvoorspelbare of gewoon onvoorziene ramp. Haar belangrijkste taak is naar eigen inzicht op te treden als de re-gels niet aan de situatie aangepast blijken of er gewoon niet zijn. De Engelse filosoof John Locke stelde dat de uitvoerende macht wordt gekenmerkt door het kunnen beslissen in gevallen waar-voor nog geen regels zijn opgesteld. En zoals Carl Schmitt, de theo-reticus van de uitzonderingstoestand, opmerkte, kan een oorlog alleen gevoerd worden door soevereine staten, juist vanwege het feit dat men hier op een gebied komt waar uitzondering regel is. Een reguliere regering beschikt boven op de absolute legitimiteit over een bepaalde hoeveelheid krediet aan legitimiteit. Hierdoor is zij in staat het hoofd te bieden aan onvoorziene omstandighe-den, zoals een huishouden het hoofd kan bieden aan onvoorziene uitgaven, een krediet dat telkens bij de verkiezingen wordt her-nieuwd. Aangezien instellingen als de Europese Commissie der-gelijke kiesmomenten niet kennen, kunnen ze slechts functione-ren op basis van vaste regels. Ze zullen nooit gestalte kunnen ge-ven aan zo'n moment van radicale vrijheid dat een reguliere uitvoerende macht krijgt bij uitzonderlijke omstandigheden.

Meteen na de opening van de Conventie die belast was met het opstellen van een Europese grondwet, heeft Valéry Giscard d'Estaing uitgelegd waarom het zo moeilijk was datgene wat hem gevraagd werd uit te voeren, in vergelijking met het opstellen van een gewone democratische grondwet. Europa bestaat uit volkeren en staten. Dit is een essentieel punt dat vaak wordt vergeten door degenen voor wie de staat een instrument is dat volkeren ter beschikking staat. Staten leiden een autonoom bestaan waarvan de volkeren afhankelijk zijn. Het eerste idee dat bij filosofen en politici opkwam is in feite dat staten legitieme onderdelen zijn van de wereldorde. Hun vertegenwoordiging, de VN, is uitgedacht om de nieuwe agora van de wereld te zijn. Met als voorbeeld de oorlog in Irak in 2003 worden echter onmiddellijk de grenzen van deze analogie duidelijk. In een vertegenwoordigende democratie worden de burgers geacht gelijk te zijn. Al is het fictie, het is wel creatieve fictie, een idee waarvoor mensen bereid zijn te vechten. Bij internationale relaties werkt deze fictie niet. Er zijn allereerst grote en kleine staten, gerekend naar het aantal inwoners. Dit lijkt een onbelangrijk punt maar het is van essentieel belang. Misschien is dit wel het punt dat de Europese eenwording het meest heeft geschaad. Als Europa was samengesteld uit vijf of zes staten van de grootte van Duitsland of Frankrijk, zouden heel wat institutionele moeilijkheden waarmee het wordt geconfronteerd (rotatie van het voorzitterschap, gewicht van de kleine landen binnen de commissies enzovoort), onmiddellijk opgelost zijn. China zal nooit dezelfde plaats innemen als Laos. Het idee van een werelddemocratie gebaseerd op staten kan slechts metaforisch werken.

Bij dit probleem van ongelijke grootte komt natuurlijk ook nog dat van de welvaart. De rijke landen kunnen het risico niet nemen dat de arme landen ook maar de minste aanspraak op hun inkomens kunnen maken. De macht over de snoeren van de beurs wordt niet gedeeld. Je zou kunnen stellen dat de inwoners van rijke landsdelen of steden de inkomstenbelasting wel hebben moeten accepteren, maar niet zonder verzet. Het moge echter duidelijk zijn dat als zij zich konden afscheiden, ze niet zouden aarzelen dit te doen. Als staten de strijd tegen de tand des tijds over-leven, komt dat doordat ze met goed gevolg de test van de ge-schiedenis hebben doorstaan; te weten hun volk hebben kunnen bewijzen dat er in vrede kan worden geleefd en er een collectief leven zonder onderdrukking mogelijk is. A contrario heeft het pro-bleem in Afrika voornamelijk te maken met het feit dat er geen staten bestaan, waardoor het onmogelijk is uit de cyclus van bur-geroorlogen, uit deze 'ontwikkeling in tegengestelde richting' te geraken, zoals Paul Collier het formuleerde.

Ter omzeiling van het onvermogen de eenvoudige dualiteit in te voeren die hoort bij een echte vertegenwoordigende democratie, gebaseerd op het koppel regering/parlement, heeft Europa bij zijn institutionele opzet een derde pijler moeten toevoegen, de Com-missie. In het leven geroepen met het idee ooit de regering van Europa te worden, heeft deze instantie deze rol tot op heden niet kunnen waarmaken en zorgt ze vooral voor ergernis, van de voor-standers van soevereiniteit die haar autoriteit niet erkennen, tot de federalisten die zich verzetten tegen haar onmacht. Het trio Commissie/Raad/Parlement staat echter voor een wezenlijke in-stitutionele innovatie. De Raad, die de staten vertegenwoordigt, behoudt het laatste woord en het Parlement, dat optreedt namens het volk, heeft stemrecht gekregen. Het eerste woord over de vast-stelling van de agenda ligt echter bij de Commissie, die wordt ge-acht garant te staan voor het 'algemeen communautair belang'. Dit klinkt enigszins lachwekkend, vandaar de aanhalingstekens. De Commissie is verzand in de rol van strenge vader, waardoor ze volgens de publieke opinie dichter bij de kille logica van een notaris staat dan bij een moreel bewustzijn. Politiek gezien levert het Europese model echter wel een oplossing voor het probleem van mondiale governance, voor het geval er geen wereldregering komt.

Het simpele feit een agenda te kunnen vaststellen blijkt immers aanzienlijke macht op te leveren. Het stelt de Commissie in staat meteen keuzes opzij te zetten die onverenigbaar zijn met de 'communautaire geest'. Zo zal ze bijvoorbeeld nooit voorstellen Frankrijk het volledige landbouwbeleid te laten betalen, al zouden de overige landen enthousiast reageren als een dergelijk voorstel in stemming werd gebracht. De politiek filosoof John Rawls stelde dat een maatregel rechtvaardig is als deze wordt goedgekeurd door mensen die niet weten wie ervan profiteert. Jan accepteert misschien niet dat hem wordt gezegd zich met Piet bezig te houden, maar wel dat degene die honger heeft moet worden gevoed door degene die een volle buik heeft. Een 'rechtvaardige' Europese agenda opstellen bestaat eruit voorstellen te doen die acceptabel zijn voor elke Europeaan die onwetend wordt gelaten over de nationaliteit van de uiteindelijke begunstigde. Het is de taak van de Europese Commissie de plaats in te nemen van de Europese burger, omdat deze niet bestaat. Het is deze creatieve fictie die de kracht en de beperkingen van het Europese model kunnen verklaren. De kracht heeft te maken met het feit dat het zich opwerpt als vervanger van de ontbrekende burger; de beperking is het feit dat het net geen echte democratie is geworden. Kort gezegd is dit het probleem waar de wereld nu voor staat, namelijk nadenken over de middelen waarmee een plaats kan worden geschapen voor de grote afwezige, de wereldburger.

HOOFDSTUK VII

Aids en schuld

WERELDHANDELSORGANISATIE: DE ZIEKEN ZIJN IN HET ZUIDEN...
'De zieken zijn in het Zuiden en de geneesmiddelen in het Noorden,' zei Bernard Kouchner, mede-oprichter van Artsen zonder Grenzen, zeer terecht. In Afrika gaan ettelijke miljoenen mensen dood omdat ze de medicijnen, die wel degelijk bestaan, niet kunnen gebruiken. De hopeloze cijfers omtrent aids kunnen niet genoeg worden benadrukt: 25 van de 34 miljoen wereldwijd geïnfecteerde mensen wonen in Afrika. In Zuid-Afrika betreft het vier miljoen mensen, oftewel 20% van de volwassen bevolking. In Botswana is 36% van de volwassen bevolking besmet, en de levensverwachting is er slechts 29 jaar. Het lijkt een infernale cyclus: jonge meisjes worden geïnfecteerd door volwassen mannen en kinderen door hun moeder bij de geboorte of via de borstvoeding. Het ergste is ten slotte dat wanneer er wel geneesmiddelen worden gebruikt, bijvoorbeeld tijdens de zwangerschap, de dosis niet hoog genoeg is, zodat het virus resistent wordt en de behandeling nog problematischer.

Sterven aan een ziekte waarvoor al medicijnen bestaan, is niet hetzelfde als jaloers zijn op de bezitter van een paar sportschoenen die je graag zou willen dragen: het is niet alleen oneerlijk in de normale betekenis van het woord, het is tevens economisch gezien inefficiënt. Er bestaat een enorm verschil tussen intellectuele eigendom en eigendom zonder meer. Wanneer je een huis of een paar schoenen koopt, eis je het wettelijk monopolie op voor het gebruik ervan: ik draag mijn schoenen en niet jij, tenzij ik bereid ben ze uit te lenen. Het betreft principes als 'baas in eigen huis', waardoor eigendom een 'onvervreemdbaar en onaantastbaar' recht is geworden van de mens van deze tijd. Intellectuele eigendom is van een geheel andere aard. Een lied of een chemische formule zijn niet te koop of te consumeren in de gebruikelijke zin van het woord. Het zijn ideeën en geen goederen; ze blijven voortbestaan na gebruik voor privédoeleinden. Wanneer een idee is bedacht, kan niets de toepassing ervan in de weg staan behalve de intellectuele eigendom zelf. Terwijl een gewone eigendom zonder meer kan worden toegeëigend, kan dit bij de intellectuele eigendom maar in beperkte mate. Een materieel goed zonder eigenaar is – in het uiterste geval – niet te consumeren. Voor intellectuele eigendom gaat dat niet op. Een idee kan eigendom zijn van iedereen, en een systeem waarin ieder idee beschermd zou worden door eigendomsrecht, kan niet gegarandeerd doeltreffend zijn.

Hieruit kunnen de innerlijke tegenstrijdigheden van de intellectuele eigendom worden afgeleid. In principe is de beste manier voor het bedenken van een nieuwe oplossing voor een bepaald probleem ervoor te zorgen dat onderzoekers gaan samenwerken en als de ontdekking vervolgens is gedaan, deze ter beschikking te stellen van iedereen. Het 'goede' referentiemodel is hier niet het marktmodel, maar dat van academisch onderzoek, waarbij de 'goede onderzoeker' wordt beloond met uiteenlopende onderscheidingen, terwijl iedereen vrijelijk over zijn ontdekkingen kan beschikken.[*] Het systeem van intellectuele eigendom leidt exact tot het tegendeel. Teams die als rivalen aan hetzelfde onderwerp wer-

---

[*] Toch loopt dit *open science*-model gevaar door de verbreiding van de intellectuele eigendom. Paul David geeft als voorbeeld het alleenrecht op exploitatie van satellietbeelden van de aarde, dat de regering-Reagan in 1984 aan de EUSAT (Earth Observation Satellite) had verleend; de kosten van deze beelden stegen van 450 naar 4500 dollar per stuk en het wetenschappelijk onderzoek lag meteen stil. Zo stelt ook het rapport van de Franse Raad voor

ken, een bepaald geneesmiddel bijvoorbeeld, delen hun kennis niet, en als er iets tot stand komt, zal dit middel het exclusieve eigendom zijn van degene die het als eerste heeft gemaakt. Hier stuit men op een idee van Marx met betrekking tot de tegenstrijdigheid tussen de ontwikkeling van productievermogen, hier van de innovatie, en eigendomsverhoudingen.

De kwestie van de genetisch gemanipuleerde organismen GMO's biedt een goed voorbeeld van wat hier speelt. Zoals José Bové aangaf in een antwoord aan Michael Moore, op dat moment directeur van de Wereldhandelsorganisatie (en niet de gelijknamige cineast), zijn de boeren in het Zuiden 'duizendmaal minder productief' dan die in het Noorden. In Afrika, waar de 'groene revolutie' van de jaren zestig van de 20ste eeuw is gestuit op de onvruchtbaarheid van de grond, hebben sommigen de hoop opgegeven deze ooit vruchtbaar te kunnen maken. Zelfvoorziening op het gebied van de voedselproductie zou in een dergelijke context inhouden dat de betrokken bevolkingsgroepen veel blijven betalen voor hun voedsel, wat hun voornaamste kostenpost is. Het rapport over 2002 van het Ontwikkelingsprogramma van de Verenigde Naties (UNDP), ontwerper van een beroemd geworden

Economische Analyse over intellectuele eigendom (2003) dat 'de traditionele octrooien en licenties die worden toegekend, een significant negatief effect hebben op klinisch aanbod van genetische tests en talloze medische instellingen ertoe hebben gebracht af te zien van dergelijke tests en zelfs van genetisch onderzoek'. Te strikt beschermd intellectuele eigendom mag dan contraproductief werken voor verdere kennisontwikkeling, een volledige afwezigheid van intellectuele eigendom levert uiteraard weer andere problemen op. Dit kan simpelweg de lust tot onderzoek wegnemen, tenminste bij ontstentenis van adequate financiering door de overheid. Ook kan het vernieuwers ertoe aanzetten hun fabrieksgeheimen voor zich te houden en zo een productief gebruik van ideeën ten behoeve van de gemeenschap verder terugdringen. Er moet een evenwicht worden gevonden.

index van menselijke ontwikkeling, die niet verdacht kan worden van sympathie voor de big business, beveelt het gebruik van GGO's aan in de arme landen om uit deze impasse te komen. Behalve dat het gebruik ervan voorzorgsmaatregelen vraagt op het gebied van de volksgezondheid, werpt het een nog groter economisch probleem op. Terwijl in de geschiedenis van de boerenstand er altijd al vrijelijk kon worden gezaaid, lopen de boeren door de GGO's het risico afhankelijk te worden van groepen die het wettelijk monopolie ervan in handen hebben en zo de winst van toegepaste technologie mis te lopen. Zonder 'rechtvaardige' regelgeving inzake intellectuele eigendom zullen de conflicten slechts verscherpen. De octrooiverlenende instanties doen dit hoofdzakelijk op technische gronden. In tegenstelling tot concurrentieautoriteiten betrekken ze maatschappelijk welzijn niet in hun overwegingen. Het is van cruciaal belang dat de instanties die de concurrentie regelen, een regulerend oordeel hierover vellen, net zoals ze gewoonlijk doen in gevallen waar een monopoliepositie dreigt. Voor de arme landen echter is een regulering die is ontwikkeld voor en door de noordelijke landen niet toereikend. Er zijn extra garanties nodig.

De culturele tegenstrijdigheden van de nieuwe economie leiden met betrekking tot de geneesmiddelen tot een heel wat wredere morele tegenstrijdigheid. De wereldmarkt voor geneesmiddelen is een van de meest bloeiende. Weldra zal de grens van de 4000 miljard euro worden gepasseerd. Meer dan 80 % van deze markt bevindt zich in de rijke OESO-landen. Daardoor zijn geneesmiddelen duur. Om het doodeenvoudige feit dat rijken voor hun gezondheid kunnen en willen betalen, zijn geneesmiddelen steeds geavanceerder en beter, wat hoge kosten voor onderzoek en ontwikkeling met zich meebrengt en wat op zichzelf een normale zaak is. Het probleem ligt dan ook elders en wel bij het feit dat op deze wereldmarkt ook de arme landen zeer veel moeten betalen voor hun medicijnen.

Uit onderzoek van de commissie Macro-economie en Gezondheid, voorgezeten door Jeffrey Sachs, voor de Wereldgezondheidsorganisatie blijkt namelijk dat de arme landen hun geneesmiddelen aankopen voor gemiddeld 85% van wat de rijke landen ervoor neertellen. Voor 98 van de 465 in het onderzoek betrokken geneesmiddelen heeft de commissie vastgesteld dat de in de arme landen berekende prijzen in feite hoger liggen. Bij een dergelijk tarief is er nauwelijks vraag. Een generiek geneesmiddel, met dezelfde eigenschappen maar waarvan de verkoopprijs niet de afschrijvingskosten hoeft te dekken van door farmaceutische bedrijven gedane investeringen, kan tienmaal goedkoper zijn dan het originele middel. Waarom werkt het model van de nieuwe economie, waardoor films overal ter wereld kunnen worden vertoond, nu juist niet in het geval waarin het bij uitstek wenselijk is dat dit gebeurt: de toepassing van een innovatie verkopen tegen een tarief dat in verhouding staat tot ieders inkomen?

De voornaamste reden die de farmaceutische bedrijven hiervoor aandragen, is hun angst dat de generieke geneesmiddelen die aan de arme landen worden verkocht, clandestien weer naar de rijke landen worden geëxporteerd. Inderdaad bestaan er talloze nagemaakte producten die illegaal op de Amerikaanse markt komen: sigaretten, T-shirts enzovoort. Zoals de Britse NGO Oxfam benadrukt, bestaat er echter op dit moment geen enkele reden om aan te nemen dat er farmaceutische producten op deze lijst voorkomen, of hooguit voor onbeduidende bedragen. En het valt niet moeilijk te begrijpen waarom: het roken van een gesmokkelde sigaret of het omhangen van een nagemaakte merktas houdt heel wat minder risico's in dan het innemen van niet-geregistreerde geneesmiddelen, des te meer omdat in het overgrote deel van de gevallen de verzekering betaalt en niet de particulier. Het officiële argument houdt dus geen stand. De onderliggende reden heeft veel meer te maken met het politieke risico dat deze generieke producten met zich meebrengen met betrekking tot de 'legitimiteit' van de tarieven die in de rijke landen zelf worden gehanteerd. De bedrijven vrezen dat het moeilijker valt te verdedigen dat ze een product verkopen waarvan een generiek equivalent bestaat dat slechts 10% van de prijs kost. Om te voorkomen dat de rechtmatigheid van hun handelen ter discussie wordt gesteld, lijkt het hun 'eenvoudiger' zich geen dubbele tariefstelling op de hals te halen, al zou die hun uiteindelijk niets extra's kosten.

Op het knooppunt van de 'culturele tegenstrijdigheden' die de nieuwe economie met zich meebrengt en de 'morele tegenstrijdigheden' tussen rijk en arm, heeft deze geneesmiddelenkwestie gezorgd voor een explosief mengsel dat in het gezicht van de farmaceutische bedrijven is ontploft. 'Handel in generieke producten [tegen aids] is een vorm van piraterij die moet worden uitgeroeid, net als met de piraterij in de 17de eeuw is gebeurd,' verklaarde de president-directeur van een grote farmaceutische firma. Onder druk van de publieke opinie heeft hij zijn woorden moeten terugnemen. Geneesmiddelen zijn geen eigendom van laboratoria in die zin dat deze het recht hebben ermee te doen wat ze willen. Alleen al vanwege hun bestaan brengen geneesmiddelen een morele verplichting mee voor de rijke landen. Ook al dient de manier waarop nog te worden verbeterd, het recht om generieke middelen te produceren en te exporteren naar de armste landen van de wereld is uiteindelijk door de Wereldhandelsorganisatie aanvaard.

Met steun van de paus en Bono, de zanger van de popgroep U2, is kort voor de millenniumwisseling een groots opgezette campagne gestart om het kwijtschelden van schulden van de armste landen te bewerkstelligen. De operatie Jubeljaar 2000 heeft de publieke opinie beïnvloed door met bijbelse argumenten de aandacht te vestigen op de enorme kloof die gaapt tussen de moraal van de volkeren en het kille verstand bij een economische rekensom. Deze campagne vond in de Angelsaksische landen dezelfde weerklank als in Frankrijk de ATTAC-beweging, eveneens gericht tegen de financiële mondialisering. Deze beweging symboliseert perfect wat afschrikt in de mondialisering, namelijk het ontbreken van politiek en moreel tegenwicht tegen de economische mondialisering.

Kwijtschelding van schulden heeft een lange geschiedenis. Er zijn in dit verband talloze voorbeelden te noemen waardoor de loop der geschiedenis is gewijzigd. Volgens bepaalde Britse historici is de Franse Revolutie grotendeels te verklaren door het feit dat Frankrijk zich heeft geruïneerd door de Amerikaanse onafhankelijkheidsstrijd tegen Engeland te steunen, waarbij de schuld steeds meer opliep en onmogelijk kon worden terugbetaald, en dit ondanks het feit dat het land een Zwitserse bankier, Jacques Necker, had aangesteld aan het hoofd van de regering. In een recenter verleden heeft Keynes beroemdheid verworven met de publicatie, vlak na de Eerste Wereldoorlog, van het boek *De economische gevolgen van de vrede*, waarin hij de overwinnaars bezwoer een 'vreugdevuur te ontsteken' met de oorlogsschuld, als ze een volgende oorlog wilden voorkomen. De Duitse schuld zou nooit worden betaald, zoals Keynes al had aangekondigd, maar oorlog kwam er toch, zoals hij ook had voorspeld. Na de Tweede Wereldoorlog heeft men hieruit lering getrokken; het doel van het

Marshallplan was met name schenkingen te doen aan de landen die door de oorlog waren verwoest.[*]

Een eeuw later is schuldkwijtschelding nog steeds actueel, maar nu betreft het de schuld van een andere verloren oorlog, de oorlog tegen de onderontwikkeling waarvan nu de wapenstilstand moet worden getekend. Tegenwoordig wordt geschat dat de schuld van de armste landen aan het einde van de jaren negentig van de 20ste eeuw is opgelopen tot meer dan 150 miljard dollar, wat gemiddeld voor die landen neerkomt op een bedrag ter waarde van drie jaar export. Lange tijd hebben de schuldeisende landen de schijn opgehouden dat de schuld zou worden afbetaald. Bijna iedere maand riepen deze overheidsschuldeisers, verenigd in de zogenoemde Club van Parijs, de ministers van Financiën van de landen met de hoogste schulden op te verschijnen voor een soort tribunaal, waarna ze verzocht werden het vonnis af te wachten in een zaal ernaast, soms de hele nacht lang. Onvermoeibaar werd de schuld herzien in de hoop op betere tijden waarin afbetaling kon volgen. Net als bij Duitsland kort na de oorlog worden de schuldenlanden gedestabiliseerd door de constante faillissementsdreiging, terwijl het de schuldeisers zelf totaal niets oplevert.

In theorie bestaat er niets beters ter ondersteuning van financiële mondialisering dan een vergrijzende bevolking, in dit geval van de rijke landen, die investeert in de jonge bevolking van de opkomende landen om de pensioenen van de toekomst zeker te stellen. De laatste jaren van de vorige eeuw hebben inderdaad een spectaculaire hausse laten zien van de financiële mobiliteit, maar wel tegen een zeer hoge prijs. Zo is uit onderzoek gebleken dat

---

[*] Kort na de Eerste Wereldoorlog werd de Amerikanen verweten dat ze de oorlogsschulden niet kwijtscholden. Na de Tweede Wereldoorlog deden ze – door schade en schande wijs geworden – het wel en werden ze als arrogant bestempeld.[63]

in de loop van de jaren tachtig en negentig 125 (!) landen een ernstige bankcrisis hebben doorgemaakt, waarbij 70 ontwikkelingslanden werden geconfronteerd met een extreme crisis die aanzienlijke maatschappelijke kosten meebracht, tot wel 10% van het bbp van de betrokken landen.[64]

Tussen 1979 en 1998 hebben we niet minder dan 40 gevallen van abrupte financiële ommekeer gezien. Veertien hiervan vonden plaats in de korte periode 1994-1998 (de Mexicaanse crisis en vervolgens de Aziatische). De jaren tachtig zijn in Latijns-Amerika wel bestempeld als 'het verloren decennium'. Na een decennium waarin de Latijns-Amerikaanse landen de gevolgen ondergingen van de plannen voor schuldherziening, is hun uiteindelijk in het kader van het zogenoemde Brady-plan aan het einde van de jaren tachtig de schuld gedeeltelijk kwijtgescholden. Deze kwijtschelding liep van 30% van de totale schuld voor Mexico op tot 80% voor Bolivia. De ingreep werd gevolgd door een onmiddellijk herstel van de economische groei, maar bleek toch onvoldoende te zijn. Het wantrouwen van de schuldeisers, bijvoorbeeld ten opzichte van Brazilië, maakt de schuldsituatie alleen al door de uit de pan rijzende risicopremies onhoudbaar. De schuld zorgt er nu voor nieuwe schulden.

De kritiek op de mondialisering richt zich vooral op het financiële aspect ervan. De in Frankrijk begonnen beweging ATTAC heeft de taak die wijlen James Tobin zich gesteld had overgenomen om in Tobins eigen woorden 'een paar zandkorreltjes te strooien in de te goed geoliede raderen van de internationale financiële wereld'. Talloze studies, waaronder de door het IMF gepubliceerde, hebben aangetoond dat de financiële mondialisering een terugkerende destabiliserende factor was, waarvan de arme landen uiteindelijk beter zouden kunnen afzien. Afgezien van de technische problemen waarvoor de Tobin-tax ons stelt, dankt dit belastingvoorstel uiteraard zijn populariteit aan de doeltreffende wijze waarop deze een dubbele doelstelling bezegelt: de nieuwe greep van de financiële wereld op het functioneren van economieën aan de kaak stellen en de noodzaak benadrukken de allerarmste landen te helpen. Zuiver technisch gezien zal deze belasting ongetwijfeld als gevolg hebben dat het transactievolume terugloopt. Kan dit een stabiliserende werking hebben op de markten? Deze belasting zal de hoogfrequente transacties doen afnemen (de transacties die continu worden uitgevoerd op de wisselmarkten) en geen effect hebben op de laagfrequente transacties, waarbij geld voor langere termijn wordt belegd. Het is niet bewezen dat het kwaad afkomstig is van de eerste groep; talloze economen zijn juist van mening dat het eerder de laagfrequente beleggers zijn die de financiële markten destabiliseren, zoals bijvoorbeeld die op de onroerendgoedmarkt waar de crises even ernstig zijn.

De discussie is nog niet gesloten en dit is wellicht ook niet het belangrijkste punt. Gezien het 'politieke' effect ervan kunnen we slechts bewondering koesteren voor het enthousiasme dat is opgewekt voor een steunmaatregel als de Tobin-tax ten behoeve van de arme landen die zich gewoonlijk buiten het blikveld van politici bevinden. De ontwikkelingshulp loopt namelijk steeds verder terug en blijft gemiddeld tweemaal zo laag als de door de VN hiervoor vastgelegde doelstelling van 0,7 % van het bbp. Door te ijveren voor plannen als de Tobin-tax, met grote symbolische waarde maar complex om in de praktijk te brengen, aangezien op zijn minst de unanimiteit van de geïndustrialiseerde landen wordt vereist, ontslaan de alternatieve mondialiseringsbewegingen de rijke landen van de plicht zich onmiddellijk en onverbloemd te verantwoorden voor hun daadwerkelijke inspanningen ten behoeve van de derde wereld. Welke financieringsformule er ook mag worden gekozen, het eenvoudigste zou toch zijn geweest als allereerst alle regeringen verantwoording zouden afleggen ten overstaan van hun eigen publieke opinie met betrekking tot de bedragen die zijzelf besteden aan het terugdringen van de ongelijkheid in de wereld.

Misschien is het nuttig ook te benadrukken dat financiële crises altijd aanzienlijke gevolgen hebben gehad in de geïndustrialiseerde landen, tot aan de krach van 1929. Sinds de Tweede Wereldoorlog echter zijn er nog wel talloze financiële en vastgoedcrises waargenomen, maar het zijn geen 'systemische crisissen' meer in de zin van faillissementen aan de lopende band, waarvan de gehele economie ernstige gevolgen ondervond. Na 1929 hebben alle geïndustrialiseerde landen overheidsinstanties in het leven geroepen om financiële crises binnen de perken te kunnen houden. In de Verenigde Staten bijvoorbeeld is de FDIC opgericht, de Federal Deposit Insurance Corporation, die beleggers beschermt tegen het risico van bankfaillissement. De wetten om te zware schuldlasten te voorkomen beschermen natuurlijke personen tegen het risico van een neerwaartse spiraal de goot in. De faillissementsrechtbanken doen hetzelfde voor rechtspersonen. Civielrechtelijke maatregelen beschermen tegenwoordig de debiteuren tegen excessieve sancties. Naties hebben echter nog steeds geen faillissementsprocedure tot hun beschikking: eenmaal in de schuldenval gelopen, blijven ze daarin gevangen, met als enig soelaas de generositeit van de schuldeiser...

Jubeljaar 2000

De beweging met de naam Jubeljaar 2000 heeft met de bijbel in de hand een vergelijking gemaakt tussen de status van arme mensen die in de Oudheid slaaf werden, en de arme landen van nu die door hun schuldenlast evenzeer worden onderworpen. Een slechte oogst dwingt degene die ermee te kampen heeft een le ning af te sluiten. Als hij nog een tegenslag krijgt, wordt hem zijn grond afgepakt en verliest hij uiteindelijk ook zichzelf. In de Oudheid moest de schuldenaar dan zichzelf verkopen als slaaf om zijn schulden af te lossen. Wanneer schuld tot slavernij leidt, ontstaat er een grote discrepantie tussen oorzaak en gevolg. Volgens Thomas van Aquino bestaat er een tegenstelling tussen juridische schuld en morele schuld waarmee hij wijst op het belang van deze contradictie. We kunnen hier ook denken aan *De koopman van Venetië* van Shakespeare. Shylock wil een contract ten uitvoer brengen dat hem juridisch het recht geeft op een pond mensenvlees, al druist het in tegen ieder moreel recht.

Toch ontstaat er een probleem. Als de schuldeiser kwijtschelding van de schuld ziet aankomen, zal hij dan nog lenen? Deze incoherentie komt aan de orde in de bijbel, waarin ertegen wordt gewaarschuwd: 'Neem u ervoor in acht, dat in uw hart niet de lage gedachte opkomt: het zevende jaar, het jaar der kwijtschelding, nadert – waardoor gij onbarmhartig wordt jegens uw arme broeder, en gij hem niets geeft, zodat hij tegen u tot de HERE roept en gij u bezondigt'(Deuteronomium 15:9). Moeten we dus rekenen op het morele besef van de lener? De landen met de hoogste schuldenlast vreesden zelf al dat het gevaar op een toekomstige kwijtschelding hun nu de toegang zou ontzeggen tot de financiële markten. Is deze contradictie fataal?

Een voorbeeld maakt duidelijk wat er speelt. Neem eens een alcoholist die wil stoppen met drinken. Dezelfde 'incoherentie' speelt hier een rol. Hij zou... morgen willen stoppen. De val die zich om hem sluit, is de volgende. Als hij zegt: 'Ik stop morgen met drinken', dan is de enige logische conclusie: 'En dus drink ik vandaag.' Waarom zou hij geen laatste glas nemen als hij toch zeker weet dat hij morgen stopt? Maar de paradox is nog erger. Als hij denkt: Eigenlijk lukt het me helemaal niet om morgen te stoppen, dan trekt hij dezelfde conclusie, namelijk dat hij dus nu ook wel kan drinken. Of hij nu denkt morgen te slagen of te mislukken, de conclusie is gelijk: hij drinkt er vandaag nog een. De val die hij voor zichzelf heeft gezet, is de volgende. De alcoholist denkt dat de handelingen die hij morgen zal verrichten, die van een ander zijn. De 'ik' die morgen stopt of doorgaat met drinken, is een ander dan de 'ik' die vandaag nadenkt. Om te stoppen met drinken moeten deze twee wezens één worden en tegen elkaar zeggen: degene die ik morgen zal zijn, is dezelfde als die ik nu ben, dus als ik wil stoppen met drinken, moet ik dat vandaag doen. Zo ontloopt hij de val.

Terugkomend op de schuldenlast, kan men net zo stellen dat degene die zich in de schulden steekt een ander dan zichzelf verplicht, namelijk de mens die hij morgen zal zijn, de slaaf wiens lot hij niet wil kennen. Hij verliest zijn integriteit, uit noodzaak of kortzichtigheid. Daarom staat in de bijbel onomwonden dat in het Jubeljaar schuldcontracten worden ontbonden. Volgens de bijbel beleent iemand die zich in de schulden steekt een wezen dat zichzelf niet toebehoort, want het behoort toe aan God. Dit is de tweede betekenis van *De koopman van Venetië*. Antonio geeft een pond van zijn vlees in onderpand zodat zijn vriend Bassanio kan trouwen. Is Shylock nu schuldig, of maakt de Venetiaanse koopman inbreuk op zijn mens-zijn door zijn eigen vlees in onderpand te geven?

Dezelfde vragen kunnen worden gesteld in verband met de schuld van de arme landen. Schuld is het favoriete wapen van regeringen met haast, die er geen been in zien hun opvolgers hun problemen te laten oplossen. Maar wat is de identiteit van degene die zich in de schulden steekt? De regering, de staat, het volk? De schuld is een val, in die zin dat de landen die ertoe overgaan, zichzelf niet de identiteitsvraag hoeven te stellen. Ze is als een drug die de problemen die ze veroorzaakt voor zich uit schuift. Kwijtschelden van de schuld maakt het probleem dus niet erger. Het wordt erdoor opgelost doordat degenen die uitlenen, gedwongen worden om zich de morele vraag te stellen die opkomt op het moment van terugbetaling. De anticipatie van het feit dat het op een dag moreel juist zal zijn van terugbetaling af te zien, dwingt de schuldeisers, uit eigenbelang, de morele waarde van hun kredieten in te schatten. Het eisen van kwijtschelding van de schulden verplicht iedereen, zowel debiteuren als crediteuren, ertoe de integriteit van de arme landen te respecteren en vooraf in te schatten.

Op de topontmoeting in Keulen van juni 1999 bevestigden de G7-landen uiteindelijk aandacht te hebben voor de schulden van de armste landen van de wereld. Krachtens dit akkoord wordt 70 miljard dollar aan schulden kwijtgescholden. We willen hier niet cijfermatig in detail treden, maar er kan worden aangetoond dat deze kwijtschelding lang niet voldoende is. Door de schuldenlast met de helft te verminderen hebben de schuldeisers de daadwerkelijke last die de schuldenlanden dragen, minder verlaagd dan ze pretenderen. De teerling is echter geworpen. Het IMF en de Wereldbank hebben voor het eerst in hun bestaan bijna de helft van hun vorderingen op arme landen laten vallen. Net als bij de kwestie van de geneesmiddelen heeft de strijd voor kwijtschelding van schulden een contradictie ontmaskerd tussen juridisch recht en moreel recht, die ten voordele van het tweede type is uitgepakt. In beide gevallen is het mogelijk te stellen dat de arme landen erin zijn geslaagd bij de rijke landen hun recht op fysieke en morele integriteit te doen gelden.

REGEREN ZONDER REGERING

De twee besproken gevallen met betrekking tot de schuldenlast en de geneesmiddelen lijken tegenstrijdig. Het recht op geneesmiddelen geeft de arme landen een vordering op de wereld; het recht om hun schuldenlast te verwerpen geeft hun het recht om hun verplichtingen niet na te komen. Dit asymmetrische recht bezegelt in feite een tweeledige eis: het recht om te participeren in de wereld 'met de anderen' en het recht om zich terug te trekken 'onder elkaar'. Bankiers en farmaceutische bedrijven voeren de redenering door tot in het extreme: wat moet er worden van een wereld waarin schuldenaren hun schuld nooit terugbetalen en patiënten hun medicijnen nooit betalen?

Met deze twee vragen wordt het probleem verdraaid. De arme landen betalen hun geneesmiddelen nu al niet: ze zijn te arm om ze te kopen. Ze lossen evenmin hun schulden af: die zijn excessief. Door van de strijd een principiële zaak te maken onthullen bankiers en farmaceuten echter wel de aard van de zaak. Het betreft geen economische uitdaging, maar een algemene principekwestie. Een betrouwbare internationale economische orde scheppen is zich gewoonweg de middelen verschaffen om terechte uitzonderingen op de algemene regels mogelijk te maken. Hoe kan ervoor worden gezorgd dat arme landen de beschikking krijgen over geneesmiddelen zonder de farmaceutische industrie als geheel genadeloos aan te vallen? Wie kan garanderen dat deze legitieme vraag wordt ingewilligd?

Deze rol lijkt toebedeeld te worden aan grote internationale instanties als de Wereldgezondheidsorganisatie voor de geneesmiddelen en het IMF voor de schuldenproblematiek. Het voornaamste probleem van supranationale instellingen als WGO, IMF, Wereldhandelsorganisatie of Wereldbank is echter dat ze een agenda lijken te hebben die ontsnapt aan elke controle. Ze doen denken aan op zichzelf aangewezen ministeries. Laatstgenoemde organisatie is verantwoordelijk voor de toepassing van de regels van de wereldhandel zoals die zijn aanvaard door de landen die de

Uruguay-ronde hebben ondertekend. De organisatie betrekt essentiële aspecten als volksgezondheid en milieu nooit bij haar taken. Het IMF is op zijn beurt – voor zover dat in zijn vermogen ligt – bewaker van de financiële stabiliteit in de wereld, maar dit fonds spant zich niet – of hooguit in de marge – in om de meedogenloze effecten van de overgangscrises in de betrokken landen op het gebied van werkloosheid en armoede te corrigeren. Deze organisaties geven stuk voor stuk blijk van een democratische ziekte die als volgt te omschrijven valt: er bestaat een omgekeerde relatie tussen de legitimiteit van deze instanties en hun actieradius. De legitimiteit van de Wereldgezondheidsorganisatie wordt volledig erkend als het om gezondheidsproblemen gaat, maar ze zou haar verliezen als men haar zou vragen zich ook bezig te houden met ongelijkheids- of ontwikkelingsproblematiek. Het IMF kan op legitieme wijze faillissementsprocedures starten tegen landen die zich te diep in de schulden hebben gestoken, maar het zou deze legitimiteit kwijtraken als het zich zou opwerpen in kwesties inzake volksgezondheid.

In feite hebben we hier met twee problemen te maken. Het eerste is dat er wereldwijd belangrijke zaken blijven liggen met betrekking tot algemeen welzijn die nog niet vallen onder een wereldorganisatie die deze naam waardig is. Het milieu is het eerste fundamentele voorbeeld dat in ons opkomt. We kunnen niet lang meer doorgaan kwesties als de opwarming van de aarde, de ozonlaag of de verdwijning van soorten zonder regulerende instantie te laten. Het is in dit verband dan ook niet verbazingwekkend dat vanuit politieke invalshoek de ecologen als eersten voorstander zijn van afschaffing van de nationale staten ten gunste van een wereldregering die volgens hen als enige in staat zal zijn de belangen van onze planeet te behartigen.

Het tweede probleem is dat zelfs als er wel organisaties bestaan, degene die een 'morele' pijler vertegenwoordigen, zoals de WGO of de Internationale Arbeids Organisatie (IAO), slechts weinig gezag hebben. Wat moet er gebeuren om ervoor te zorgen dat de regels van de IAO over kinderarbeid worden toegepast? Dat de gezondheidsnormen van de WGO wetskracht krijgen? Niets in het praktisch functioneren van het IMF of de Wereldhandelsorganisatie dwingt deze organisaties op dit moment bijvoorbeeld de regels die zijn opgesteld door de IAO of de WGO in acht te nemen. Een tegenvoorbeeld illustreert wat er aan de hand is. De *Codex Alimentarus*, de voedingswetgeving die is opgesteld door de WGO en wordt opgelegd aan de Wereldhandelsorganisatie, heeft tot gevolg dat het vrije verkeer van voedingsmiddelen die door de Wereldhandelsorganisatie als schadelijk zijn aangemerkt, niet verplicht kan worden gesteld. De publieke opinie moet worden gemobiliseerd om de koers van hun activiteiten bij te stellen. Hoe kunnen we ervoor zorgen dat de overgang van het ene normenstelsel naar het andere – iets – soepeler gaat?

Een rapport van de Franse Raad voor Economische Analyse[65] heeft een eerste oplossing voorgesteld die spoedig in praktijk gebracht zou kunnen worden. Het voorstel was de Wereldhandelsorganisatie te verplichten advies te vragen aan de betreffende organisaties, telkens wanneer er een handelsgeschil ontstaat met betrekking tot bijvoorbeeld een probleem inzake gezondheid of milieu. De Wereldhandelsorganisatie zou dan niet verplicht zijn het advies op te volgen, maar er zou wel verantwoording afgelegd moeten worden. Hierdoor kan het publieke debat worden aangeslingerd en kan er in voorkomende gevallen worden gestreden voor een wijziging van de verdragen. Er zijn echter ambitieuzere plannen mogelijk. Zo heeft Jacques Delors voorgesteld een Raad voor Economische Veiligheid binnen de Verenigde Naties op te richten. Deze raad zou iedere keer kunnen worden ingeschakeld als er een normenconflict ontstaat tussen de organisaties die onder de Verenigde Naties vallen. De raad, samengesteld uit wijze mannen en vrouwen van wereldwijde statuur, zou hier dan uitspraak over moeten doen. Een dergelijke formule zal de mensen die dromen van een wereldstaat evenzeer in het harnas jagen als de voorstanders van nationale staten. Willen we het formuleren van openbare normen echter niet overlaten aan de marktwerking of aan krachtmetingen tussen staten, dan is het van wezenlijk belang te beschikken over een reguleringsinstantie, die tot taak zal hebben morele normen en economische normen op één lijn te brengen. Als het probleem van deze tijd is dat het wereldwijde bewustzijn voorloopt op de realiteit, dan kan een praktisch vervolg niet lang meer op zich laten wachten.

Hervorming en revolutie

De spanning is voelbaar tussen hen die staan te popelen om deze taak te gaan vervullen en degenen die haar belachelijk maken uit naam van een revolutionair ideaal. Zo fulmineert Serge Latouche tegen de 'salonhervormers' die een onderscheid willen maken tussen het 'goede kapitalisme' dat rijkdom voortbrengt en het 'slechte'.[66] 'In de economie bestaat een substantiële kern waarvan de gevolgen vast wel beperkt kunnen worden, maar de aard absoluut niet. Het adjectief duurzaam of aanvaardbaar ervoor plaatsen verandert daar echt niet veel aan. [...] De term "duurzame ontwikkeling" is een verzamelnaam voor alle goede bedoelingen van de voorstanders van een andere mondialisering, waarbij het – zonder deze nobele geesten te willen aanvallen – toch vervelend is dat de Wereldbank en George W. Bush hetzelfde zeggen.' Op zich is er niets tegen dergelijke beweringen in te brengen. De sociale zekerheid was al door Bismarck uitgevonden om het volk duidelijk te maken dat de vorst zich meer bekommerde om zijn volk dan de revolutionairen. Toch is één ding duidelijk: hij had het nooit gedaan als de revolutiedreiging er niet geweest was.

Het feit dat de antiglobaliseringsbeweging van voorheen nu liever 'altermondialistisch' wil worden genoemd, bewijst de evolutie die ze doormaakt. De discussie die is ontstaan bij de publicatie van het boek van M. Hardt en T. Negri geeft bijvoorbeeld duidelijk aan wat voor spanningen er nog zijn. *Empire*, het wereldrijk, waarmee de auteurs de mondialisering in brede zin bedoelen, is door de *New York Times* gepresenteerd als een nieuw *Communistisch manifest*. Enkele critici uit de linkse hoek zagen het als een misplaatste lofzang op het kapitalisme.[67] 'Het wereldrijk,' zo zegt Negri, 'is op dezelfde wijze een vooruitgang als het kapitalisme volgens Marx een vooruitgang was ten opzichte van eerdere sociale stelsels en productiemethoden. Wanneer dit wereldrijk stevig zal zijn gevestigd, zullen degenen die tegen de suprematie van de mondiale elites zijn, in naam van gelijkheid, vrijheid en democratie vast wel middelen vinden om zich hiertegen te verzetten.' In zijn visie betekenen de pogingen tot 'imperialisme' van de regering- Bush een stap terug. Het lijkt op teruggrijpen op de achterhaalde handelwijze van de 19de eeuw, terwijl juist een 'hervormingsgezinde imperialistische aristocratie' zou moeten opkomen die ervoor kan zorgen dat er een wereldregering komt die geschikt is voor de huidige status van de mondialisering.

Van dergelijke (hervormingsgezinde?) ideeën springt een auteur als Daniel Bensaïd, filosoof en invloedrijk lid van de LCR, de Franse Revolutionaire Communistische Liga, uit zijn vel.[68] 'Waarachtig,' schrijft hij, 'Hardt en Negri komen aan het eind van hun intellectuele kruisweg terug bij het goede oude economisch determinisme, de goede oude illusies van vooruitgang en de goede oude allianties (met de progressieve elites van het wereldrijk tegenover de oude verlokkingen van een verouderd imperialisme)', en hij concludeert dat de mondialisering en haar instituties in de praktijk niet te hervormen zijn. Dit verzet laat goed zien hoezeer binnen de 'altermondialistische' beweging het standpunt ten opzichte van de mondialisering nog moet worden bepaald. De scheidslijn tussen de mondialisering en haar tegenstanders loopt klaarblijkelijk dwars door deze beweging heen.

Even kenmerkend voor de misverstanden rond de mondialisering is de manier waarop erover wordt gediscussieerd. 'Er is geen breuklijn meer tussen Noord en Zuid,' schrijft Negri, 'want er bestaat geografisch gezien geen verschil meer tussen de naties.' Hier stuit men weer op de illusies van een wereld zonder grenzen, uitgaand van het vermogen van het kapitalisme zich spontaan te verbreiden, dat echter door de economische geschiedenis wordt weerlegd en terecht door Bensaïd wordt weersproken. Dat doet hij echter op basis van even zwakke argumenten. 'Net als vroeger,' schrijft hij, 'is onderontwikkeling vandaag de dag geen bijzaak of vertraging ten opzichte van de ontwikkelde landen, ze blijft dé voorwaarde voor een steeds toenemende kapitaalaccumulatie, net als de specialisatie van India, de koloniale slaaf en het opiumgebruik de noodzakelijke keerzijden waren van de opkomst van het industriële kapitalisme in de jaren 1860 en 1880.' We hebben gezien hoezeer het idee van ongelijke uitwisseling, die van de arme landen de 'noodzakelijke keerzijde' of de 'voorwaarde' maakt van de welvaart van de rijke landen, verkeerd was. De tragedie van de huidige mondialisering is dat de reden van de armoede van de arme landen hieraan volledig tegengesteld is: nutteloos en onnodig.

Het mondiale kapitalisme is niet hetzelfde als het kapitalisme zonder meer. Daar zit hem de kneep. De tragedie van de armste landen is dat ze zonder te verdwalen binnen willen treden in een wereld die hen voor het grootste deel negeert. Wat het zo lastig maakt de juiste woorden en toon te vinden bij het spreken over mondialisering, is dat ervan wordt verwacht dat de arme landen worden binnengelaten in de kring van onze materiële overvloed, maar zo dat ze tegelijkertijd op kritische afstand blijven. Om de wereld rechtvaardiger te maken moeten er instellingen in het leven worden geroepen om de toegang van de arme landen tot het kapitalisme te bevorderen. Tegelijk echter dienen er andere instellingen te worden opgericht voor het scheppen van een openbare ruimte waarin het kapitalisme geen invloed heeft. Deze deels tegenstrijdige taak wacht nu onze generatie.

Europa heeft in minder dan een half millennium de macht gegrepen over de planeet. Gezeten op de schouders van de grote Euraziatische beschavingen heeft het continent allereerst de precolumbiaanse beschavingen uitgeroeid, alvorens de Chinese, Indiase en moslimbeschavingen tot slaf te hebben gemaakt, na zich hun belangrijkste vindingen te hebben toegeëigend. In 1913 heersen Europa en zijn nieuwe vestigingsgebieden over de wereld. Slechts Japan, gelegen in een uithoek van de wereld, ontsnapt aan deze hegemonie.

Het is aanlokkelijk om de huidige mondialisering te interpreteren als de voortzetting met andere middelen van de verwestersing van de wereld. Of we nu het accent leggen op economische of op culturele overheersing, het Westen, inmiddels onder aanvoering van de Verenigde Staten, lijkt de klus af te zullen maken die vijfhonderd jaar geleden was begonnen. Deze lezing beheerst ook de interpretatie die is gemaakt voor het verwerpen van de mondialisering. De culturele hegemonie stuit op het ontwaken van grote beschavingen die ooit onderworpen waren. De economische hegemonie bevordert de wederopstanding van anti-kapitalistische krachten. Een nieuwe godsdienstoorlog of een nieuwe wereldwijde klassenstrijd, de mondialisering bevindt zich op bekend terrein.

Al heeft een dergelijke lezing de verdienste historisch simplistisch te zijn, toch is het nadeel ervan dat mythe en realiteit worden verward. Het voornaamste probleem van de huidige mondialisering is niet dat religieuze conflicten of klassenstrijd erdoor oplaaien. Het ligt veel eenvoudiger en basaler: de mondialisering houdt haar beloften niet. Ze schept een vreemde wereld, die een gevoel van uitbuiting voedt, terwijl er in de praktijk niet of nauwelijks wordt uitgebuit; er wordt een beeld geschapen van een nieuwe nabijheid tussen naties die echter slechts virtueel is. Het is moeilijk je er een voorstelling van te maken, omdat mondialisering enerzijds een gebrek inhoudt – een gebrek aan integratie van de allerarmsten in het wereldkapitalisme – en anderzijds een overdaad: de aanwezigheid van de noordelijke landen als obsederende horizon voor de economische ontwikkeling.

De ontwikkeling zoals Amartya Sen die heeft gedefinieerd, houdt in dat mensen en maatschappijen middelen ontvangen om een toekomst op te bouwen die voldoet aan hun verwachtingen. Het probleem van de mondialisering op dit moment is dat ze eerder de verwachtingen van volken vergroot dan hun vermogen handelend op te treden. Zelfs in de a priori meest gunstige gevallen, blijft de situatie hopeloos. De oostkust van China wordt de nieuwe fabriek van de wereld, maar 800 miljoen arme boeren hopen toestemming te krijgen zich er te vestigen. Meer dan de helft van de Indiase bevolking kan nog steeds niet lezen en schrijven. Het werk dat de arme landen moeten verzetten om op hun beurt welvarende centra te worden, is aanzienlijk en voor sommige ontmoedigend. De draagwijdte van de volgende uiterst belangrijke statistiek, kan niet genoeg worden benadrukt: de helft van de wereldbevolking moet rondkomen van minder dan 2 euro per dag. Op deze zwakke basis moeten er wegen worden aangelegd, bevolkingen worden geschoold en zich aanhoudend ontwikkelende technologieën worden beheerst. Nagenoeg alles moet nog gebeuren om van hen volwaardige spelers op het veld van de mondialisering te maken. Om op het internet te komen zijn er allereerst telefoonlijnen nodig. Om een geneesmiddel voor te schrijven zijn er artsen nodig. Voor het leeuwendeel van de arme wereldburgers blijft mondialisering een ontoegankelijk idee.

Lange tijd werd de wereldhandel verantwoordelijk gehouden voor de kloof die in de 19de eeuw was gegroeid tussen rijk en arm, aangezien de handel de industrialisering van Engeland had bespoedigd en die van India had vertraagd. Deze interpretatie zou eigenlijk goed nieuws zijn voor de arme landen, omdat op dit moment juist het tegenovergestelde gaande is. India heeft echter geleden onder een veel zwaardere handicap, waarmee talloze landen na hun onafhankelijkheid werden geconfronteerd. De Indiase ontwikkeling is slachtoffer geworden van een primitieve kijk op het kapitalisme, meer gebaseerd op afkeer dan op instemming. Inmiddels is wel vastgesteld dat het kapitalisme niet in staat is zelf de 'geestestoestand' te produceren die het nodig heeft om goed te gedijen. Max Weber schreef dit toe aan het protestantisme en velen zien hierin iets specifiek westers. De spectaculaire verschillen tussen Taiwan en de Volksrepubliek China illustreren hoe kwetsbaar deze stelling is. De verspreiding van gedrag is veel frequenter dan men dikwijls denkt. We al hebben gezien dat de demografische en sociologische overeenkomsten tussen een islamitisch land en zijn niet-islamitische buurland veel groter zijn, dan die tussen twee islamitische landen die ver van elkaar af liggen. Dit voorspelt zeker nog geen 'planetaire beschaving', maar belooft wel degelijk talloze kruisbestuivingen.

Toen Samuel Huntington schreef dat 'ergens in het Midden-Oosten een zestal jongeren best spijkerbroeken kunnen dragen, coca-cola drinken en toch een Amerikaans lijnvliegtuig laten exploderen', was dat op zichzelf een redelijk verhaal dat echter volledig omkeerbaar is. Iraniërs kunnen voor de televisiecamera's een Amerikaanse vlag verbranden en zich toch privé op een manier gedragen die ze in het openbaar afkeuren. Wie de film *Ten* van de Iraniër Kiarostami heeft gezien, kan er niet langer aan twijfelen dat op het belangrijke terrein van de vrouwenemancipatie Iran niet ver meer verwijderd is van de 'westerse' landen. De centrale paradox van onze tijd is dat het vooralsnog onbereikbare concept van het wereldburgerschap vreemd genoeg een voorsprong heeft op het gelijktrekken van de ontwikkelingsniveaus.

Alleen al vanwege het feit dat ze bestaan – veel meer dan omdat ze de andere volken economisch uitbuiten of cultureel afstompen – stellen de rijke landen de andere landen toch voor een existentieel probleem. Dat ze nu voor de hele wereld de technologieën ontwikkelen waarvan de rest gebruik zal maken, is zowel uiterst nuttig (ze betalen de ontwikkelingskosten) als een uiting van overheersing. Het lijkt erop alsof ze eveneens het ontdekken van andere mogelijkheden verbieden. Het bestaan van telefoon of televisie weerhoudt mensen ervan te denken wat er zou gebeuren met een wereld waarin deze ontdekkingen niet zouden zijn gedaan. Technieken zijn veel meer dan simpele instrumenten. De paleontoloog André Leroi-Gourhan verklaarde dat de *homo sapiens* op cumulatieve wijze vooruitgang had weten te boeken door het gebruik van gereedschap, in plaats van door rechtstreekse overdracht van gedachtegoed van de ene generatie op de andere.

Voor de landen van het Zuiden, en in bepaalde mate ook voor de Europese landen ten opzichte van de Verenigde Staten, staat dit uitgesloten worden van het opdoen van nieuwe kennis of nieuwe technologieën gelijk aan uitgesloten worden van de geschiedenis. Een mens is niet gelukkig, gewoon omdat hij een of andere groente nuttigt. De manier waarop zijn smaak wordt bepaald, het proces dat hem ertoe beweegt een bepaalde keuze te doen in plaats van een andere, zijn even belangrijk voor hem als de keuze zelf. De arme landen willen kunnen beschikken over riolering en geneesmiddelen, maar deze wens is niet tegenstrijdig met het verlangen deel te nemen aan de totstandbrenging van de wereldgeschiedenis, wat zich niet hoeft te beperken tot het automatisch imiteren van de meer ontwikkelde landen.

Om de mondialisering te begrijpen moeten we ons verre houden van twee standpunten: de mechanische visie van hen voor wie de stadia van economische groei al bij voorbaat vaststaan en het relativisme van de aanhangers van de botsende beschavingen, voor wie ieder volk er vooral voor moet oppassen zijn eigen identiteit niet te verliezen. Omdat mensen toch overal hetzelfde zijn, spreken technische of morele ontdekkingen van andere volken ieder volk aan. Maar de wereld zal nooit 'rechtvaardig' zijn zolang niet alle volken de overtuiging hebben dat ze bijdragen aan de ontdekking en de productie van een gedeelde bestemming voor de mensheid en kunnen zeggen: 'Elk menselijk voortbrengsel dat we kunnen bevatten, wordt onmiddellijk een element van ons cultureel erfgoed. Ik ben trots op mijn mensdom telkens wanneer ik in staat ben dichters en kunstenaars uit een ander land dan het mijne te waarderen.' Zo schreef de Indiase vorst Ashoka, en zijn woorden hebben eeuwigheidswaarde.

NOTEN

1 Paul Bairoch, *Mythes et Paradoxes de l'histoire économique*, Parijs, La Découverte, 1994.

2 Parijs, Editions de Minuit, 1957.

3 Parijs, Armand Colin, 1989.

4 Ned. vert.: *Zwaarden, Paarden & Ziektekiemen. Waarom Europeanen en Aziaten de wereld domineren*, Utrecht, Het Spectrum, 2000.

5 Fr.: têtu. Uitdrukking van de Fransman Jean Baechler in *Esquisse d'une histoire universelle*, Parijs, Fayard, 2002.

6 Michael Kremer, 'Population Growth and Technological Change: 1 000 000 BC to 1990', in: *Quarterly Journal of Economics*, augustus 1993. Het artikel van Kremer wordt echter niet door Diamond aangehaald. Het boek van Diamond daarentegen is de economen niet ontgaan. Er is een verslag te lezen van Brad DeLong, historisch econoom, op zijn site http://econ161.berkeley.edu, waar ook commentaar is te vinden van Joel Mokyr, deskundige op het gebied van technologieverspreiding.

7 Claude Lévi-Strauss, *Les Structures élémentaires de la parenté*, PUF, 1949, heruitgave Mouton, 1967 (geciteerd door Catherine Clément, Claude Lévi-Strauss, PUF, coll. Que sais-je?, 2002).

8 K. O'Roorke en J. Williamson, *Globalization and History*, Cambridge, MIT Press, 1999.

9 J.M. Keynes, *Economic consequences of the peace*, USA Edition, 2001.

10 Al deze feiten zijn gebaseerd op het werk van O'Roorke en Williamson, *Globalization and History*, op.cit.

11 Bairoch, *Mythes et Paradoxes de l'histoire économique*, op.cit.

12 Arrighi Emmanuel, *L'Echange inégal*, Parijs, Maspero, 1969.

13 Bairoch, Mythes et Paradoxes de l'histoire économique, op.cit.

14 P. Bairoch, *Victoires et Déboires*, Parijs, Gallimard, coll. Folio, 1997.

15 Albert Menni, *Portrait du colonisé*, voorafgegaan door 'Portrait du colonisateur', voorwoord van Jean-Paul Sartre, Parijs, Gallimard, 1957.

16 De twee belangrijkste auteurs zijn Elhanan Helpman en Paul Krugman; zie hun *Market Structure and Foreign Trade*, Cambridge, MIT Press, 1985.

17 Jeffrey Frankel, 'Globalization and the Economy' in: Nye and Donahue (red.) *Governance in a Globalizing World*, Washington, Brookings Institution, 2002.

18 M. Bordo, B. Eichengreen en G. Irwin, 'Is Globalization Today Really Different than Globalization a Hundred Years Ago?' NBER, juni 1999.

19 Wat dit punt betreft verwijzen we ook naar R. Baldwin en P. Martin, 'Two Waves of Globalization: Superficial Similarities, Fundamental Differences', NBER, *Working Paper*, nr. 6904, 1999.

20 Zie D. Cohen en M. Debonneuil, *La Nouvelle Economie*, rapport van de Conseil d'Analyse Économique, Parijs, La Documentation française, 2001.

21 B. DeLong en M. Froomkin, *Old Rules for the New economy*, Berkeley, 1999; zie ook C. Shapiro en H. Varian, Information Rules, Cambridge, Harvard Business School Press, 1999.

22 Zie B. Amable en P. Askenazy, 'New Business Integration', in: D. Cohen, P. Garibaldi en S. Scarpetta (red.), *The ICT Revolution*, Oxford University Press, 2003.

23 John Sutton, *Sunk Cost and Market Structure*, Cambridge, MIT Press, 1991

24 Fernand Braudel, *Civilisation matérielle, économie et capitalisme*, deel 3, *Le Temps du monde*, Parijs, Armand Colin, 1979. *Beschaving, economie en kapitalisme*, Nederlandse vertaling door C. den Boer, R. Fagel en G. Rombach (Amsterdam, 1987).

25 Anthony Venables, *Geography and International Inequalities*, London School of Economics, 2001.

26 L.-A. Gérard Varret en M. Mougeot, *Aménagement du territoire*, rapport van de Conseil d'Analyse Économique, Parijs, La Documentation française, 2001.

27 E. Leamer en M. Storper, *The Economic Geography of the Internet Age*, NBER, 2001.

28 Zie A. Goldstein en D. O'Connor, *Production Location and the Internet* in Cohen e.a., The ICT Revolution, op. cit.

29 Philippe Askenazy, *La Croissance moderne*, Parijs, Economica, 2002.

30 A. Sen, *Development as Freedom*; Ned. vert.: *Vrijheid is vooruitgang*, Amsterdam, Contact, 2000.

31 P.Bairoch, *Mythes et Paradoxes de l'histoire économique*, op. cit.

32 Zie bijvoorbeeld William Easterly, *The Elusive Quest for Growth*, Cambridge, MIT Press, 2002.

33 Paul Bairoch, *Le Tiers-monde dans l'impasse*, Parijs, Gallimard, coll. Idées, nieuwe uitg. 1983.

34 Samuel Huntington, *The Clash of Civilizations*, New York, Simon and Schuster, 1996; Ned. vert.± *Botsende beschavingen*, Amsterdam, Ambo/Anthos, 2002.

35 Ik baseer me hier op een rapport van de Verenigde Naties, *Completing the Fertility Transition, Population Division*, New York, 2003.

36 *Completing the Fertility Transition*, op cit.

37 D. Cohen, 'Y a-t-il une malédiction économique islamique?' (Rust er een economische vloek op de islam?), in: *Le Monde* (6 november 2001), opgenomen in: Chroniques d'un Krach annoncé, La Tour d'Aigues, Editions de l'Aube, 2003.

38 Zie hiervoor Michio Morishima, *Why Has Japan Succeeded?*, Cambridge University Press, 1984.

39 Ned. vert.: *Wat is er misgegaan?*, Amsterdam, Arbeiderspers, 2002.

40 Joel Mokyr, *The Lever of Riches*, Oxford University Press, 1990.

41 Zie hiervoor ook Bairoch, *Victoires et Déboires, op. cit.*

42 Joseph Needham heeft hieraan 14 delen van zijn standaardwerk *Science and Civilization in China* gewijd.

43 Angus Maddison, *The World Economy, A Millennial Perspective*, OESO, Ontwikkelingscentrum, 2001.

44 Zie noot 32 van het vorige hoofdstuk.

45 Alice Amsden, *The Rise of the Rest*, Oxford University Press, 2001.

46 Zie Maddison, *The World Economy, op. cit.* en Bairoch, *Victoires et Déboires*, deel 2, Gallimard, coll. Folio, inédit, 1997.

47 Alice Amsden, *The Rise of the Rest, op. cit.*

48 X. Daumalin en O. Raveux, 'Marseille (1831-1865)', in: *Annales*, HSS, januari-februari 2001.

49 Ibidem.

50 Jeffrey Sachs en Andrew Warner, 'Economic Reform and the Process of Global Integration', in: *Brookings Papers on Economic Activity*, 1995, Francisco Rodriguez en Dani Rodrik, 'Trade Policy and Economic Growth: A Skeptic's Guide to the Cross-National Evidence', in: NBER, *Macroeconomics Annuals*, 2000.

51 J. Frankel en D. Romer, 'Does Trade Cause Growth?', in: *American Economic Review*, 1999.

52 Zie F. Bourguignon en C. Morrisson, 'Inequality among World Citizens: 1820-1992', in: *The American Economic Review*, september 2002.

53 D. Cohen en M. Soto, 'Why are Poor Countries Poor?', CEPR, 2002.

54 S. Preston, 'The Changing Relation between Mortality and Level of Economic Development', in: *Population Studies*, 1975.

55 R. Lucas, 'Making a Miracle', in: *Econometrica*, 1993; Roland Bénabou, 'Inequality and Growth', in: *NBER Macroeconomics Annuals*, 1996.

56 P. Kennedy, *The Rise and Fall of the Great Powers*, New York, Vintage Books, 1987; Ned. vert.: *De wisselkoers van de macht*, Utrecht, Bruna, 1989.

57 G. Ardant, *Histoire de l'impôt*, 2 delen, Parijs, Fayard, 1971.

58 Vgl. P. Bezbakh, *Le Monde de l'économie*, 29 april 2003.

59 Joel Mokyr, *The Lever of Riches, op. cit.*

60 R. Boyer en M. Didier, *Innovations et croissance*, Conseil d'Analyse Economique, La Documentation française, 1998; E. Cohen en J.H. Lorenzi, *Politiques industrielles pour l'Europe*, Conseil d'Analyse Economiques, La Documentation française, 2000; zie ook D. Cohen en M. Debonneuil, *La Nouvelle Economie, op.cit.*

61 D. Cohen, 'L'Europe, un géant sans tête' (Europa, een reus zonder hoofd), in: *Le Monde* (7 december 2001), opgenomen in: *Chroniques d'un Krach annoncé, op.cit.*

62 E. Cohen en J. Pisani-Ferry, 'Les paradoxes de l'Europe-puissance' (De paradoxen van de macht Europa), in: *Esprit*, 2002.

63 Philippe Roger, *L'Ennemi américain*, Parijs, Le Seuil, 2002.

64 M. Goldstein, C. Hills, P. Peterson, *Safeguarding Prosperity in a Global Financial System*, Council on Foreign Relations, 1999.

65 P. Jacquet, J. Pisani-Ferry en Laurence Tubiana, *Gouvernance mondiale*, Parijs, La Documentation française, 2001.

66 S. Latouche, 'D'autres mondes sont possibles, pas une autre mondialisation' (Andere werelden zijn mogelijk, een andere mondialisering niet), in: Revue *MAUSS, Quelle 'autre' mondialisation?*, 2002.

67 M. Hardt en A. Negri, *L'Empire*, Parijs, Exils, 2000.

68 D. Bensaïd, *Le Nouvel Internationalisme*, Parijs, Textuel, 2003.